L'enseignement
grammatical
à l'heure des choix

JOSÉE VALIQUETTE

L'enseignement grammatical

à l'heure des choix

**une solution
pour remédier
aux faiblesses chroniques
en orthographe grammaticale**

CENTRE ÉDUCATIF ET CULTUREL INC.
8101, boul. Métropolitain Est, Montréal (Québec) H1J 1J9
Téléphone : (514) 351-6010   Télécopie : (514) 351-3534

REMERCIEMENTS

Je tiens à exprimer ma plus vive reconnaissance à mon assistante de recherche, Nicole Valiquette, qui, ces deux dernières années, a patiemment colligé les données permettant la complète reformulation des règles d'accord des participes passés, à la base du chapitre 4 de cet essai.

Mes remerciements vont également à mon éditeur, André Rousseau, et à Suzanne Famelart, réviseure du manuscrit et chargée de projet, pour le soutien constant qu'ils m'ont prodigué dans l'élaboration de cet ouvrage.

© 1990, Centre Éducatif et Culturel, inc.
Tous droits réservés
Dépôt légal : 4ᵉ trimestre 1990
Bibliothèque nationale du Québec
ISBN : 2-7617-0906-3

Imprimé au Canada

À

Louise Turp, ma complice,
avec qui ont été cogitées plusieurs des idées de ce livre

et

André Chervel,
à son insu, précieux inspirateur de cet ouvrage,

ce nouveau chapitre de l'histoire de la grammaire scolaire
qui aurait pu s'intituler :

« ... et il fallut faciliter la tâche à tous les petits
francophones. »

Avant-propos

Dix ans après la parution d'un « nouveau » programme de français au Québec, voici venu le temps d'un premier bilan. En ce qui concerne tout particulièrement l'orthographe grammaticale, il paraît d'autant plus impérieux de faire le point que les critiques de la société se font plus vives à cet égard. Les résultats sont-ils aussi alarmants qu'on le prétend ? Si oui, cela justifie-t-il un retour à ce qui se faisait auparavant ? Doit-on augmenter le nombre d'heures consacrées à l'orthographe grammaticale dans nos écoles ? Serait-il opportun de rapatrier au primaire certains cas repoussés au secondaire depuis 1979 (l'accord de participe passé avec l'auxiliaire *avoir*, par exemple) ? Autant de questions auxquelles cet ouvrage tente d'apporter une réponse.

On voit présentement se dessiner deux positions antagonistes en cette matière : d'une part, le retour à l'analyse grammaticale traditionnelle, d'autre part, la transformation de l'enseignement grammatical. Tous partagent au départ un même constat : les résultats obtenus ne semblent pas à la mesure du temps et des efforts investis. Mais là où certains pédagogues croient qu'un retour à l'enseignement du passé suffira à améliorer la situation, d'autres, dont je suis, croient plutôt qu'il faut imaginer une solution de rechange à la grammaire traditionnelle, sur les points où celle-ci ne paraît pas donner satisfaction.

À l'heure actuelle, certains concepts semblent échapper à la compréhension des enfants, si l'on se fie aux fautes qu'ils commettent à la fin du cours primaire ; d'autres semblent carrément inutiles (la majorité des règles de formation du féminin, par exemple). On peut se demander si le temps perdu à enseigner des notions inutiles ne pourrait pas être investi de façon plus profitable dans l'enseignement des règles de base, celles-là mêmes que les élèves enfreignent avec le plus de régularité; également, si les règles incomprises ne pourraient pas être enseignées d'une façon différente; bref, si une solution de rechange à la grammaire traditionnelle ne pourrait pas être imaginée. C'est le défi que je me suis lancé ces dernières années.

Mais il y a loin de la coupe aux lèvres : de la critique des faiblesses d'un système à la proposition d'une solution de rechange globale, articulée et cohérente, le chemin est long et ardu. Cela ne va pas sans beaucoup de réflexion ni certains tâtonnements. Préoccupée par cette question depuis plus de quinze ans, il m'aura fallu un effort de recherche intensif, en particulier ces deux dernières années, pour venir à bout de l'épineux problème de l'enseignement des règles d'accord du participe passé. La boucle est désormais bouclée. C'est donc une synthèse de la solution globale à laquelle je suis parvenue qu'on retrouve dans cet essai.

Au moment où enseignants, pédagogues, parents et professionnels de l'écriture s'interrogent sur l'orthographe, la conjoncture me semble favorable pour communiquer le fruit de mes réflexions. Pour bien marquer qu'il s'agit là d'une hypothèse personnelle de solution au problème de l'enseignement grammatical, je prends la liberté de m'exprimer à la première personne. Il me semble que plus nombreux nous serons à mettre en commun nos idées respectives sur la question, plus le débat aura de chances d'aboutir à une solution originale et féconde. Je serai heureuse si cet ouvrage a pu y contribuer de quelque façon.

Aujourd'hui sonne l'heure, au Québec, de l'évaluation du travail accompli depuis dix ans. Rien ne serait plus regrettable, au moment des choix nouveaux à effectuer, que l'impuissance à agir, faute de savoir en quel sens orienter son action. Or, si aucune voie nouvelle ne se dessine, il est probable qu'on aura la tentation de lorgner vers ce qui se faisait auparavant ; pourtant, il me semble possible d'aborder la question *différemment*. Pour améliorer les performances des élèves – car c'est bien de cela qu'il s'agit – je crois qu'il est nécessaire de transformer l'enseignement de l'orthographe d'accord française sur tous ses aspects principaux, qu'il s'agisse du verbe, du nom, de l'adjectif ou encore du participe passé.

C'est pourquoi, après avoir établi, dans le premier chapitre de cet ouvrage, les bases d'une transformation de l'enseignement de l'orthographe grammaticale, j'aborderai successivement les points suivants : accord du verbe et de certains pronoms, accord du nom et de certains déterminants, accord de l'adjectif et du participe passé. Suivra un chapitre sur la ponctuation, car il s'agit là d'un autre domaine où les résultats pourraient être améliorés de façon sensible, moyennant un enseignement repensé ; j'en profiterai pour ajouter quelques commentaires sur l'impact de l'enseignement de l'analyse logique sur l'amélioration des performances syntaxiques, type d'analyse qui se pratique encore au secondaire, mais qui n'est pas sans soulever des interrogations chez plusieurs.

Bilan de la situation, forces et limites de l'enseignement actuel, solution de rechange imaginée : voilà le canevas de chacun de ces chapitres (à l'exception de la parenthèse sur la syntaxe). Ils se concluent sur un modèle de ce que pourrait contenir, à chacun des degrés du primaire, une grammaire scolaire élaborée en fonction de l'hypothèse formulée. Cette proposition de grammaire nouvelle se termine chaque fois par un aperçu des quelques cas résiduels à enseigner au secondaire. On découvrira ainsi que beaucoup de cas présentement repoussés au secondaire pourraient être enseignés efficacement au primaire, et cela, sans toucher à la grille-horaire actuelle.

Le problème de l'enseignement grammatical est tellement complexe, il comporte tant d'aspects divers (objectifs, terminologie, formulation des règles, développement des connaissances, rôle de l'exercisation, réinvestissement des connaissances en situation d'écriture, évaluation) que je ne puis les traiter tous dans le cadre de cet essai. Ainsi, je n'aborderai pas ici les activités d'apprentissage et d'évaluation à proposer en classe, à chacun des degrés, non plus que la méthode de révision de textes à suggérer aux élèves, pour les rendre aptes à intégrer efficacement, en situation d'écriture, les connaissances déjà développées. C'est qu'avant même de s'interroger sur la démarche à adopter en classe, il me paraît nécessaire d'établir clairement quels pourraient être *les objectifs* d'un enseignement renouvelé de l'orthographe grammaticale, les moyens devant, cela va de soi, toujours être subordonnés à des buts clairement définis.

Dans un premier temps, tentons d'abord de faire le point sur les résultats obtenus des élèves en matière d'orthographe grammaticale.

1

Un enseignement à repenser

Briser le *statu quo*

On pourrait penser qu'après onze années d'école ou plus les élèves sont en mesure de maîtriser parfaitement les règles de base de l'orthographe française. Hélas! il n'en est rien. De plus en plus de jeunes se voient même obligés, au C.E.G.E.P. et à l'université, à suivre des cours de rattrapage en français, en particulier à cause de faiblesses marquées en orthographe grammaticale. Ne nous le cachons point : sauf raison majeure exceptionnelle, qu'un étudiant se retrouve dans une telle situation, après autant d'années d'études, est tout à fait anormal. La preuve d'un enseignement qui a failli à sa tâche.

Ces jeunes sont surtout le produit de l'enseignement de la grammaire traditionnelle qui a eu cours jusqu'au milieu des années 80 environ. Est-ce à dire que, grâce au programme de 1979, implanté peu à peu au cours de la dernière décennie, on assiste désormais à une amélioration marquée de la situation?

Certes, le programme de 1979 a offert quelques pistes intéressantes de réforme, entre autres l'apprentissage de l'accord des verbes personne par personne. Cependant, les concepteurs de ce programme n'ont pu poursuivre l'effort de renouvellement aussi loin que cela aurait été souhaitable. Toutes les énergies étant mobilisées, à l'époque, pour créer de toutes pièces une pédagogie de la communication, il s'est avéré impossible, dans le même temps, de transformer en profondeur l'enseignement grammatical. En oral, en lecture et en écriture, nous pouvons être assez fiers du chemin parcouru. L'impulsion de base est donnée ; il s'agit désormais de poursuivre dans la même direction. En orthographe grammaticale, à toutes fins utiles, le travail reste à faire.

Car, ne nous y trompons pas : mises à part de rares exceptions, comme celle citée plus haut à propos de l'accord du verbe, c'est bel et bien l'enseignement de la grammaire traditionnelle qui est au cœur du programme de 1979. Pas étonnant alors de constater que les règles sont enseignées présentement à peu près de la même façon qu'elles nous furent enseignées à l'école primaire.

Je ne suis pas seule à faire un tel constat. Deux pédagogues québécoises, Suzanne Chartrand et Marie-Christine Paret, abondent dans le même sens, dans un article récent sur l'enseignement grammatical[1] :

> Nous touchons ici un problème de fond : n'en sommes-nous pas encore à véhiculer, dans la très grande majorité des classes du Québec, et cela malgré les multiples dénonciations dont il fait l'objet (Pagé, 1976 ; Milot, 1984), un enseignement tout à fait traditionnel de la grammaire (…), et à espérer que cette connaissance purement abstraite se transmettra, par on ne sait quelle mystérieuse alchimie, dans les écrits des élèves ?

Certes, l'analyse grammaticale a bien subi quelques élagages ces dernières années (sans qu'on sache trop bien d'ail-

---

1.   Suzanne CHARTRAND et Marie-Christine PARET, « Enseignement de la grammaire : quels objectifs ? quelles démarches ? », *Bulletin de l'ACLA* (Association canadienne de linguistique appliquée), printemps 1989, vol. 11, n° 1, p. 34.

leurs quoi mettre à la place). Pourtant, les codes grammaticaux qui entrent aujourd'hui dans nos écoles ressemblent comme des frères jumeaux à ceux dont on disposait autrefois ; comme eux, ils sont à peu près tous basés sur les concepts de la grammaire scolaire traditionnelle.

Or, cette grammaire scolaire traditionnelle est justement celle qui produit les échecs nécessitant les cours de rattrapage évoqués plus haut. Ce n'est sûrement pas en revenant massivement à ce type d'enseignement qu'on résoudra le problème, c'est-à-dire en faisant encore plus de ce qui fonctionne déjà mal ! Non. L'heure est plutôt à l'imagination. Nous devons concevoir un nouvel enseignement grammatical, apte à résoudre plus efficacement le problème chronique des piètres résultats observés, en orthographe grammaticale, dans les écrits des élèves. Bref, il nous faut briser le *statu quo*.

Des faits troublants

La situation est-elle vraiment aussi préoccupante qu'on le prétend ? Qu'on en juge. En janvier 1989, la Direction générale de l'évaluation du ministère de l'Éducation du Québec publiait un rapport faisant état des « Résultats de l'épreuve de français écrit de sixième année du primaire, administrée au mois de mai 1988 ». Certains propos sont révélateurs :

> Une analyse détaillée des copies d'élèves révèle que ce sont les finales de la troisième personne du singulier qui sont la source du plus grand nombre de fautes (exemples : « on parleras » ; « il pren*t* » ; « il veu*x* ») ; celles-ci sont plus nombreuses lorsque le sujet est un nom ou un syntagme nominal singulier (exemples : « Noiraud étai*s* content » ; « Noiraud par_ à courir »). (...) On constate qu'il y a beaucoup plus de

fautes portant sur les verbes au présent de l'indicatif que sur le passé simple ou l'imparfait. (...) Les terminaisons homophoniques des verbes, particulièrement la confusion entre é et **er,** sont peu maîtrisées par les élèves (exemples : « pour rattrap*é* » ; « il est retard*er* » ; « le petit chat désespér*er* ») (p. 43).

Par ailleurs, les auteurs de ce rapport concluent que l'accord des noms et des adjectifs est assez bien réussi par les élèves. Mais faut-il vraiment s'en réjouir, quand on songe que cette réussite est attribuable au fait d'avoir reporté plusieurs cas au secondaire, dans le programme de 1979, mesure qui taxe inutilement, à mon avis, le programme d'orthographe grammaticale du secondaire, trop chargé pour le nombre d'heures qui lui est imparti. Voici quelques exemples des cas reportés :

1° Le participe passé employé avec l'auxiliaire *avoir*, qu'il prenne une marque d'accord ou non. Exemples : Les livres que j'ai *lus* ; je les ai *lus* ; elle a *acheté* des livres ; elle a *couru*.

2° Le participe passé des verbes pronominaux, qu'il prenne une marque d'accord ou non. Exemples : Ils se sont *amusés* ; les cassettes qu'il s'est *achetées* ; il s'est *acheté* des cassettes.

3° L'attribut précédé d'un verbe d'état autre que *être*. Exemple : Ses parents *semblent sévères*. Nulle part en effet le programme du primaire ne fait-il allusion à ce cas particulier.

Ce n'est pas tout. En ce qui concerne l'accord des adjectifs, les résultats publiés par le ministère de l'Éducation cachent en partie la vérité. C'est que, dans cette étude, tous les adjectifs ont été analysés, qu'ils appellent une marque d'accord ou non. Lors d'une récente analyse de corpus portant sur des textes écrits en 1987 par des élèves de 6e année, j'ai commencé, moi aussi, par considérer la finale de tous les adjectifs entrant dans les structures au programme du primaire : l'étude a alors révélé un taux d'échecs global de 17%, et de 14% seulement pour le cas de l'attribut précédé du verbe *être*, ce qui ne semble guère inquiétant. Puis j'ai eu l'idée d'isoler, parmi les adjectifs analysés, ceux qui nécessitent vraiment l'application d'une règle d'orthographe grammaticale.

J'ai donc retranché du total les adjectifs au masculin singulier, de même que les adjectifs au féminin singulier dont la finale est marquée à l'oral, comme *verte, malade, grande, propre, heureuse, neuve, première, vivante*, etc., qui sont orthographiés par les élèves sans référence explicite à une règle d'accord et qui ne leur posent, en vérité, que des difficultés d'orthographe d'usage. Les résultats se sont alors révélés tout autres...

Dans cette étude, dont je rends compte de façon plus détaillée dans le chapitre consacré à l'adjectif, j'ai assimilé les participes passés employés seuls ou avec l'auxiliaire *être* aux adjectifs qualificatifs, comme le suggère le programme de 1979. Seuls ont été pris en compte les adjectifs prenant une marque d'accord qui entrent dans les structures en principe parfaitement maîtrisées par les élèves, à la fin du primaire, aux termes de ce programme. Ces structures sont les suivantes :

STRUCTURE I

Déterminant	+	adjectif	+	nom
Mes		petits		frères
Une		jolie		robe
Tes		meilleures		notes

STRUCTURE 2

Déterminant + nom	+	adjectif
ou		
Nom propre	+	adjectif
ou		
Pronom	+	adjectif

Des	cheveux	blonds
Maude,		âgée de cinq ans
Ceux		achetés dans ce magasin

STRUCTURE 3

Déterminant + nom	+	*être*	+	adjectif
ou				
Nom propre	+	*être*	+	adjectif
ou				
Pronom	+	*être*	+	adjectif

Tes	parents	sont	sévères.
Nicole		est	sortie.
Elles		ont été	vendues.

Précisons que, d'après le programme, dans les structures 2 et 3, le nom peut être accompagné d'un complément du nom (exemple : *La voiture de mes parents* est bleue); l'adjectif peut également se rapporter à deux ou plusieurs noms communs, noms propres et/ou pronoms coordonnés (exemples : *Suzie et ma mère*, malades ce jour-là; *Chantal et Hélène* seront invitées; *mon frère et lui* ont été choisis; *lui et moi* serions déçus).

Après suppression des adjectifs n'appelant aucune marque d'accord, il n'est plus resté que 31% des adjectifs initiaux, c'est-à-dire pas assez pour fournir des résultats vraiment significatifs. J'ai donc poursuivi l'étude de façon à obtenir 2 000 adjectifs commandant une règle d'accord, recensés dans 552 copies d'élèves provenant de vingt commissions scolaires différentes du Québec. Le tableau suivant présente les résultats obtenus.

**Échecs relatifs à l'accord des adjectifs
commandant l'application d'une règle
dans les trois structures maîtrisées en principe
à la fin de la 6ᵉ année**

Structure	Nombre d'occurrences	Fautes	% de fautes
1	631	159	25
2	896	335	37
3	473	229	48
TOTAL	**2 000**	**723**	**36**

Les résultats n'ont pas de quoi nous épater : 36% d'échecs, soit plus d'une faute par trois adjectifs, et cela, à la fin d'une 6ᵉ année! Si l'on regroupe les données relatives à l'accord de l'adjectif épithète des structures 1 et 2, on constate un pourcentage d'échecs de 32%, soit à toutes fins utiles une faute d'accord à tous les trois adjectifs; quant à l'attribut avec *être* (structure 3), il entraîne un taux d'échecs de 48%, soit près d'un adjectif sur deux. Des résultats proprement effarants! Quand on pense que, dans le programme de 1979, ces cas reviennent constamment de la 3ᵉ à la 6ᵉ année, il n'y a vraiment pas de quoi pavoiser!

Place à l'imagination

Le moins qu'on puisse dire c'est que l'approche actuelle ne semble pas produire les résultats escomptés. Parmi les défauts majeurs de la situation présente qu'il faut corriger de toute urgence, citons : 1º le trop grand nombre de fautes commises sur des cas de base, tant à la fin du secondaire qu'au C.E.G.E.P. et à l'université, fautes qui ne devraient être que rarissimes, après tant d'années d'études; 2º un programme surchargé au secondaire, étant donné le peu de temps dont on dispose pour l'enseigner; 3º une répétition inlassable des mêmes cas de la 3ᵉ à la 6ᵉ année du primaire, impuissante cependant à générer les résultats attendus.

Quant aux solutions proposées, plusieurs voix s'élèvent en faveur de l'octroi d'un plus grand nombre d'heures à l'enseignement grammatical, tant au primaire qu'au secondaire. Comme je l'écrivais dans un article publié récemment[2] :

C'est là la principale solution issue de la consultation du ministre Ryan en 1987. En effet, « 70% des [enseignants] du primaire et 90% des [enseignants] du secondaire affirment qu'on consacre un temps trop limité à l'enseignement de la grammaire et de l'orthographe[3] ». Les heures de classe n'étant pas élastiques, une augmentation des heures à ce chapitre entraînera automatiquement une diminution des heures ailleurs dans l'horaire. Où couper?

C'est un problème de taille. Après tant d'efforts déployés dans nos classes, ces dernières années, pour donner meilleur droit de cité aux sciences humaines et aux sciences de la nature,

---

2.   Josée VALIQUETTE, « Transformer l'enseignement grammatical : faire mieux en moins de temps », *Québec français*, automne 1989, nº 75, p. 26.

3.   Claude RYAN, *Consultation-mobilisation sur la qualité du français*, communiqué de presse, Ministère de l'Éducation du Québec, 26 novembre 1987, p. 2.

n'allons surtout pas sabrer dans les heures allouées à ces matières ! De toute façon, toucher à quelque matière au programme que ce soit suppose une remise en question de la vocation même de l'école, sans compter les problèmes syndicaux que soulève un tel choix.

« Alors, suggèrent certains, faisons plus de grammaire à l'intérieur même des heures de français. » Je suis prête à parier que si cette solution l'emporte, ce sont les heures consacrées à la didactique de l'écrit qui seront affectées : on diminuera le nombre de situations d'écriture au profit des exercices grammaticaux. On perdra ainsi en quelques années, voire en quelques mois, le bénéfice de dix ans de réforme axés sur la production de textes signifiants !

Non, la solution n'est pas là. Pourtant, elle existe. Mais elle est aussi paradoxale qu'inattendue : il s'agit simplement de rogner sur les heures mêmes consacrées actuellement à l'orthographe grammaticale, en en supprimant *toutes* les notions inutiles, en cessant d'enseigner prématurément certaines connaissances mal comprises des jeunes enfants et en établissant une progression plus rigoureuse des apprentissages. De cette façon, on gagnera tellement d'heures au primaire qu'il sera possible d'enseigner davantage de cas qu'on ne le fait présentement, et surtout, d'une manière plus efficace.

Je crois qu'il n'est pas inutile au départ de dénoncer un mythe tenace : celui de la complexité de l'orthographe grammaticale française qui serait telle qu'on ne pourrait la circonscrire en moins de onze ans d'études, à raison de nombreuses heures par semaine. C'est un mythe ! En réalité, le système n'est pas aussi complexe qu'on veut bien le croire sauf que, depuis deux siècles, on ne s'est jamais donné la peine de l'enseigner de manière autre que compliquée !

À mon avis, expliquées différemment, les règles d'orthographe grammaticale pourraient être maîtrisées à peu près parfaitement, *en situation d'écriture*, dès le début du secondaire. Pour cela, il convient cependant de jeter un regard neuf sur le problème.

Une analogie éclairante

Pour mieux comprendre, prenons une analogie dans un domaine qui nous est familier aujourd'hui, la micro-informatique. Lors de l'apparition des premiers ordinateurs personnels, vers le début des années 80, le grand public était convaincu que, sans accès à des cours de programmation informatique complexes ou, encore, sans de longs mois d'initiation à l'aide de manuels rébarbatifs, on ne pouvait manier ces appareils de façon vraiment compétente. L'ordinateur personnel était destiné, à n'en pas douter, à une élite composée de mordus de haute technologie et, en aucun cas, au commun des mortels.

C'est alors que la compagnie Apple imagina de mettre son appareil à la portée de tous, y compris les gens les plus réfractaires à la technologie. Son secret? *Adopter résolument le point de vue de l'usager* et inventer à son intention un mode de fonctionnement si simple (notamment, en donnant accès à toutes les commandes de base à l'aide d'un seul bouton, appelé « souris ») qu'il réussisse à vaincre les résistances même les plus fortes. Le concept de système « *user friendly* », c'est-à-dire « amical pour l'usager », était promis au plus bel avenir.

Le résultat, en effet, fut foudroyant : non seulement recruta-t-on des adeptes chez Monsieur et Madame Tout-le-Monde, mais cette approche réussit à séduire même des informaticiens chevronnés, en quête d'un ordinateur personnel! Comme quoi l'adaptation à un large public n'impliquait aucunement, pour ses promoteurs, un nivellement par la base qui aurait détourné les experts du produit...

Malheureusement, pareille démarche n'a encore jamais été tentée en enseignement grammatical. Depuis près de 150 ans, celui-ci a subi bien peu de transformations, et généralement pas de nature à simplifier la compréhension du système des règles d'accord par les usagers. Pourtant, on se plaint, génération après génération, des piètres résultats des élèves. Dans n'importe quelle autre sphère d'activités, il y a longtemps qu'on aurait cherché *comment s'y prendre autrement*!

Est-ce la crainte de toucher au sacro-saint édifice de la grammaire traditionnelle? Un manque de sensibilité aux besoins de l'usager? Toujours est-il qu'on en revient sans cesse à prôner les moyens mêmes qui n'ont réussi jusqu'à maintenant qu'à produire des résultats déficients. Que dirions-nous, dans les autres matières, mathématiques, sciences humaines, sciences de la nature, enseignement religieux, par exemple, de véhiculer le même enseignement et de la même façon qu'il y a un siècle et demi? Et pourtant, c'est très exactement ce que nous faisons en enseignement grammatical...

Pourtant, nous n'avons plus le choix : le nombre de scripteurs ne cesse de s'accroître dans la société. Il n'y a jamais eu autant de publications sur le marché; ainsi, on note que « les livres du dépôt légal de la Bibliothèque nationale [de Paris] sont passés, en moyenne annuelle, de dix-sept mille à trente-huit mille de 1960 à 1980, et ont plus que doublé depuis[4] ». La situation est analogue dans tous les pays industrialisés, preuve que les gens écrivent plus qu'autrefois. Il

---

4.   Nina CATACH *et al.*, « L'appel des linguistes », publié dans le journal *Le Monde*, le 7 février 1989, reproduit dans Bernard PIVOT, *Le Livre de l'orthographe - amours, délices... réformes*, Paris, Hatier, 1989, p. 47.

paraît de plus en plus évident qu'en cette ère d'information accrue la plupart des élèves de nos écoles auront à écrire dans le cadre de leur métier futur. Il devient donc urgent pour les francophones de se demander *comment rendre accessible au plus grand nombre, le plus rapidement possible, la maîtrise de toutes les règles grammaticales de base.*

On ne doit jamais perdre de vue, comme le rappelle fort à propos André Chervel, que « l'Angleterre, l'Italie, les États-Unis ou le Brésil ignorent les exigences d'une orthographe « grammaticale » (sinon lexicale), [et] n'imposent pas aux élèves des écoles l'étude d'une grammaire[5] ». C'est souvent une révélation pour la plupart des gens de constater que, dans les classes anglophones, on n'a pas à dispenser de cours d'orthographe grammaticale, toutes les marques d'accord en anglais étant audibles à l'oral. Ce qui laisse ainsi plus de temps pour les autres matières. Les francophones accepteront-ils d'être déclassés en éducation (en langue maternelle, en sciences, en mathématiques, etc.), parce qu'ils doivent investir un nombre d'heures démesuré dans le seul apprentissage de l'orthographe grammaticale? Ne serait-il pas plus opportun de réformer cet enseignement en profondeur de manière à le dispenser de la façon la plus efficace possible, en un minimum de temps?

Aujourd'hui, non seulement est-il temps que la situation change, mais il est possible qu'elle change. Ce qu'il faut, c'est revoir tout l'enseignement grammatical, en se mettant résolument, pour une fois, dans la peau du scripteur en herbe et en construisant, à son intention, une approche d'apprentissage de l'orthographe grammaticale « amicale pour l'usager ». Il lui sera ainsi beaucoup plus facile de se l'approprier.

---

5.   André CHERVEL, *… et il fallut apprendre à écrire à tous les petits Français – Histoire de la grammaire scolaire*, Paris, Payot, 1977. (Ce livre a été réédité en 1981 dans la collection « La petite bibliothèque Payot », sous le titre *Histoire de la grammaire scolaire*.)

Moyennant un tel effort, je suis confiante que nous pourrons obtenir des résultats jamais atteints dans le passé, à savoir une grande majorité d'élèves ne faisant à peu près jamais de fautes d'orthographe grammaticale, à la fin du cours secondaire, je dirais même, dès le début du secondaire. Ainsi, ce défi que nous lance la démocratisation de l'enseignement – incluant la francisation des allophones – sera-t-il relevé efficacement par la pédagogie.

Principes d'une réforme

À la base de l'approche centrée sur l'usager, proposée dans ces pages, se retrouvent les principes suivants, dont certains apparaîtront peut-être comme des vérités de La Palice, mais qu'il me paraît utile de rappeler, vu le peu de cas qu'on en a fait jusqu'à maintenant :

1° *Plus l'enfant est jeune, plus on doit insister sur ce qui est évident pour lui dans la phrase, et plus on doit utiliser un vocabulaire imagé et concret, parallèlement à la terminologie grammaticale traditionnelle.* À mesure que l'enfant vieillit et que ses concepts grammaticaux sont plus assurés, on peut lui enseigner les cas qui font appel à des raisonnements plus complexes et utiliser davantage la terminologie communément admise, mais uniquement « dans la mesure où (celle-ci) est nécessaire », comme le faisait remarquer judicieusement le programme de 1979.

2° *Tout ce que l'enfant sait déjà à l'oral, on doit le considérer comme acquis, et non le lui enseigner*; sinon, c'est une perte de temps. Ceci vaut, en particulier, pour les règles de formation des temps et des modes des verbes, et pour les règles de formation du féminin des noms et des adjectifs. En effet, l'enfant sait qu'on dit *il finissait*, mais *il partait*, sans avoir besoin d'un recours aux groupes de verbes. De même, il sait que *premier* fait *première* au féminin.

3° *Ce que l'enfant ne sait pas ou possède de façon moins sûre à l'oral devrait être enseigné en langue orale et non en orthographe grammaticale.* Par exemple, s'il écrit *ils sontaient* ou *des chevals* (sic), c'est qu'il est habitué à parler ainsi. La seule façon de corriger un usage fautif est de se faire dire (et redire!) le terme ou la structure correcte, et non d'appliquer une règle. Cela ne devrait donc pas faire partie du cours d'orthographe grammaticale. En effet, si l'enfant ignore que *corail* fait *coraux* au pluriel et que *auteur* fait *auteure* au féminin, et non *auteuse* (comme *menteuse*) ou *autrice* (comme *actrice*), il doit d'abord l'apprendre à l'oral.

4° En ce qui concerne *les règles de formation du féminin des noms et des adjectifs autres qu'en -e muet*, dont l'enfant sait déjà fort bien qu'ils forment des couples *-er/-ère*, *-on/ -onne*, *-f/-ve*, *-teur/-trice*, etc., elles soulèvent uniquement pour l'enfant des problèmes d'orthographe *d'usage* et non des problèmes d'orthographe grammaticale; c'est d'ailleurs la finale du *masculin* autant que celle du féminin qui causent alors généralement problème. On doit donc *débarrasser l'orthographe grammaticale de ces cas qui n'y ont pas leur place et les rapatrier en orthographe d'usage*, là où l'élève est susceptible d'apprendre des choses vraiment utiles à leur sujet.

5° Les points 2 et 3 qui précèdent sont très importants, parce qu'ils inciteront à *se concentrer uniquement sur l'essentiel, en orthographe grammaticale*, à savoir les seuls concepts nécessaires pour *mettre les bonnes finales en situation d'écriture*. Ainsi, dès que, dans une leçon, on se penchera sur un problème d'orthographe grammaticale, enseignant(e) et élèves sauront qu'il s'agit de développer ou de consolider des finales (et, parfois, des majuscules de noms propres).

Rien d'autre jusqu'en 6ᵉ année, où l'on ajoutera alors quelques caractéristiques du radical des verbes, peu nombreuses. (Notons que la ponctuation ne fait pas partie à proprement parler de l'orthographe grammaticale, mais constitue un cas à part.)

6° On se plaint souvent que les élèves connaissent les règles, mais ne les appliquent pas en situation d'écriture. L'élève connaît, par exemple, toutes les finales des verbes avec *je*, sauf... qu'il n'arrive pas à bien reconnaître le verbe dans ses propres textes! C'est comme s'il n'y avait pas de « signal » qui sonne l'alarme dans sa tête au moment où il devrait faire un accord. On doit justement apprendre à l'élève à *détecter les signaux d'alarme* (car ils existent), et cela *pour chacun des cas à maîtriser*, jusqu'à ce que, grâce à une nouvelle forme d'analyse grammaticale, il les connaisse parfaitement, par cœur, et les utilise à bon escient. Une fois déclenché le signal de faire un accord, placer la bonne finale sera... un jeu d'enfant!

Dans la pratique, comment procéder? J'illustrerai ces divers principes à partir de chaque cas concret à enseigner. À bien y penser, si l'on excepte la ponctuation, qui est d'un autre ordre, l'orthographe grammaticale en tant que telle se ramène à cinq cas seulement, dont trois majeurs et deux mineurs : d'une part, l'accord du verbe, du nom et de l'adjectif (auquel on peut assimiler tous les participes qui s'accordent puisque, comme on le verra, ils fonctionnent comme de simples adjectifs); d'autre part, l'accord de quelques pronoms et de quelques déterminants. C'est tout.

Dans un premier temps, avant même de relever les problèmes qui résultent de l'approche actuelle et de préciser les moyens de remédier à la situation, j'indiquerai dans les grandes lignes, pour chacun de ces cas, l'objectif qu'il serait souhaitable d'atteindre à la fin du primaire. Il n'est pas toujours

facile de déterminer où tirer un trait entre les cas du primaire
et ceux du secondaire. Je me suis laissé guider, à cet égard,
par les considérations suivantes : 1° le respect nécessaire du
développement cognitif des enfants; 2° la conscience du peu
de temps dont on dispose au secondaire pour enseigner les
règles d'accord; 3° le souci de ne pas surcharger le programme
du primaire en allégeant celui du secondaire. L'objectif qu'on
retrouve au début de chacun des quatre chapitres qui suivent
est soumis ici à titre d'hypothèse.

Comment appliquer une approche « amicale pour l'usager » aux divers cas traités : verbes et pronoms, noms et
déterminants, adjectifs et participes passés, ponctuation? Les
chapitres respectifs consacrés à chacun de ces points présentent, en guise de réponse, outre l'objectif à atteindre à la fin
du primaire :

1° l'état de la question et la solution retenue;

2° la progression possible des cas au fil de la scolarité,
illustrée par une synthèse de ce que pourrait être le contenu
d'un enseignement grammatical renouvelé pour les élèves de
la 3e à la 6e année, le tout suivi d'un aperçu des cas à aborder
au secondaire.

Pour sa part, le chapitre sur l'adjectif et le participe passé,
vu les changements pédagogiques importants qu'il implique,
offre, avant cette synthèse finale, de nombreux exemples,
assortis de la nouvelle analyse grammaticale suggérée, en vue
de familiariser davantage le lecteur avec l'approche proposée.

2

Accord du verbe
et de certains pronoms

OBJECTIF À ATTEINDRE

On considérera que l'enseignement grammatical a réussi si, à la fin du primaire, l'élève place à bon escient, dans ses textes, toutes les finales de verbes à toutes les personnes, et ce, à tous les temps et modes principaux; s'il connaît aussi certaines particularités du radical; s'il peut consulter utilement, à l'occasion, des tableaux de conjugaison; enfin, s'il accorde sans faute au pluriel les pronoms *ils*, *elles* et *celles*.

Un remaniement en profondeur

Quel est le moyen le plus rapide de s'assurer que *tous* les élèves (sauf ceux en difficulté grave d'apprentissage peut-être) atteignent l'objectif fixé, ce qui n'est malheureusement pas le cas aujourd'hui, comme on l'a vu plus haut? On a toujours cru, jusqu'à présent, qu'on ne pouvait enseigner les finales de verbes sans expliciter, dès la 3e année, chacun des temps et des modes principaux. Or, le problème de l'enfant n'en est pas un, par exemple, de formation du verbe à tel ou tel temps. Il lui arrive rarement de se tromper à cet égard et, quand c'est le cas, on règle le problème *à l'oral*. Le vrai problème pour lui, en orthographe grammaticale, c'est de *reconnaître le verbe* pour lui apposer la bonne finale.

Or, pour un jeune élève de huit ans, exiger dès le départ qu'il identifie non seulement le verbe, mais aussi le temps et le mode de ce verbe, sans oublier son sujet, c'est trop ! Comme on enseigne, trop tôt, trop de notions, on se voit obligé par la suite de les ressasser année après année, pour des résultats médiocres, chez plusieurs, à la fin du primaire. Mieux vaudrait enseigner moins de concepts à chaque degré, mais établir des bases solides permettant à l'élève, dès la fin de la 3e année par exemple, de maîtriser déjà parfaitement certaines finales. Utopie ? Je ne crois pas. Et pour le démontrer, je présente, dans les paragraphes qui suivent, une façon de procéder différente de celle de la grammaire scolaire traditionnelle.

Apprentissage des verbes personne par personne

En premier lieu, précisons qu'un des concepts les plus productifs du programme de 1979, qu'il ne faut abandonner sous aucun prétexte à mon avis, est *l'apprentissage des verbes personne par personne*. En d'autres termes, pour l'initiation à l'accord du verbe avec son sujet, il ne s'agit plus, en vertu de cette approche, d'enseigner ce que certains appellent « la conjugaison à la verticale », c'est-à-dire la conjugaison du verbe à toutes les personnes. Il convient plutôt de faire apprendre d'abord, par exemple, toutes les finales de verbes avec *tu*, puis avec *je*, avec *nous*, etc. Le programme s'inspire en cela d'une innovation pédagogique expérimentée en France à l'école primaire Alsacienne de Paris par Jeannie Aeschimann, directrice de cette école, et son équipe, et publiée au milieu des années 70, aux Éditions Armand Colin/Bourrelier, dans le matériel didactique *Notre langage*.

Cette idée, inscrite dans le programme québécois de 1979, de considérer les finales de verbes personne par personne me semble d'autant plus pertinente qu'elle rejoint davantage ce que chacun de nous fait en écrivant, au moment d'accorder un verbe. Par exemple, si j'écris *je cour...*, et que j'hésite sur la finale à ajouter, je me référerai spontanément à ce que je sais des finales de verbes avec *je*, plutôt que de conjuguer le verbe *courir* à toutes les personnes.

Usage des temps et des modes par les enfants

Il n'apparaît pas du tout indispensable, à l'analyse, lors des premiers apprentissages de l'accord du verbe, de faire allusion aux temps et aux modes. En effet, sauf dans de très rares cas – par exemple, la faute de concordance : si je *serais* (sic) – l'enfant emploie à peu près toujours à bon escient, quand il parle ou écrit, les divers temps et modes au programme du primaire.

Je dis « à peu près », car il est vrai que les élèves utilisent parfois certains temps de verbes à mauvais escient à l'écrit. Mais une analyse attentive de textes d'enfants révèle que les erreurs relèvent alors davantage de *l'incohérence des temps* – saut malhabile d'un temps à l'autre : du présent au passé par exemple, principalement dans le récit – que d'une mauvaise *concordance des temps* ou, encore, que de l'ignorance pure et simple des temps à employer. Or, il n'existe pas, à proprement parler, de règles strictes à cet égard. Les auteurs chevronnés se distinguent des autres simplement par une plus grande habileté à opérer ces passages sans heurter le lecteur.

Comment intervenir à cet égard? Disons que quelques
remarques de l'enseignant(e), à l'occasion de la révision de
textes, sur les sauts intempestifs d'un temps à l'autre, jointes,
en lecture, à la fréquentation assidue de bons auteurs incul-
queront plus sûrement aux enfants le souci de la cohérence
des temps que n'importe quelle leçon de grammaire! Prenons
par exemple l'extrait suivant d'un texte d'élève de 6e année,
tiré d'un recueil publié par le ministère de l'Éducation[1]. Les
enfants devaient imaginer une suite à un début d'histoire
proposé.

Voilà maintenant le moment de partir, Pascal et Mélanie *sont*
bien tristes. Les enfants le *prirent* une dernière fois. Le chat
bien attristé les regarda partir avec un profond chagrin. Noiraud,
bien décidé, se dit : « J'ai eu de la tendresse et de la joie, alors
la vie continue! »

Il *est* bien décidé à parcourir le bord de la mer. Il trouvera bien
un endroit où... (Etc.) Noiraud aperçoit une petite fille... (Etc.)
Il va vers la fillette... (Etc.) (Le texte se poursuit ainsi pendant
près d'une page au présent, puis se termine comme suit :)

Arrivé à la ville, Noiraud lui dit : « Cher amour, je suis amou-
reux de vous et j'aimerais que nous restions ensemble tout le
long de notre vie. » « Moi de même, cher amour », *répondit*
la chatte.

(...) Deux mois plus tard, elle eut six petits chatons merveilleux
et ils fondèrent une famille vraiment admirable. Parfois, leur
père Noiraud parlait de la famille Leclerc à ses petits, car
souvent le chat s'ennuyait de cette famille qu'il avait tant aimée.

L'amour de la chatte et de Noiraud *est* authentique et personne
ne pourra venir détruire cette union.

Marie-Hélène Papineau

---

1.   Ministère de l'Éducation du Québec, *BIZZzz et Noiraud. Une sélection des meilleurs
textes des élèves de sixième et troisième années*, Gouvernement du Québec, 1988, p. 25-26.

Les verbes en italique indiquent les incohérences de temps qu'on note dans ce texte. Voici une façon d'intervenir utilement en classe à ce propos. Au moment où l'enfant révise son texte, on peut lui mentionner, par exemple : « Ici, tu commences à raconter l'histoire comme si elle se passait maintenant, puis tu sautes au passé et tu reviens ensuite au présent, puis tu sautes de nouveau au passé pour finir enfin au présent. C'est mêlant. On ne sait pas trop si l'action se passe maintenant ou si elle s'est passée auparavant. » Comme on le constate, les notions de présent et de passé renvoient alors à des notions sémantiques, que l'enfant est en mesure de comprendre facilement, même en 3e année, et non aux notions grammaticales de présent, d'imparfait, de passé simple ou de passé composé.

Ce qui frappe par ailleurs dans ce texte, en dehors des incohérences de temps, c'est l'habileté de l'enfant à manier l'imparfait (« Noiraud s'ennuyait de cette famille »), le plus-que-parfait (« ... qu'il avait tant aimée »), le futur (« Il trouvera bien un endroit » et « personne ne pourra venir détruire cette union »), le conditionnel et même le subjonctif (« j'aimerais que nous restions ensemble »). Cela n'est pas typique uniquement de cette élève : c'est ce qu'on remarque dans les copies d'à peu près tous les enfants. S'il arrive exceptionnellement qu'un élève utilise le mauvais temps ou le mauvais mode de verbe, par manque d'habileté en français, le mieux est de corriger ses erreurs *à l'oral*.

« Et les élèves allophones ? » dira-t-on. Les propos qui précèdent s'appliquent aussi bien et peut-être encore mieux à eux. Tout le monde sait que le meilleur moyen d'apprendre une langue seconde est l'immersion. À force d'entendre des verbes à l'imparfait, au conditionnel, au futur, etc., et de tenter de les employer eux-mêmes, en se faisant reprendre à l'occasion, les élèves allophones les intégreront exactement de la même façon que nous les avons nous-mêmes appris, entre un an et cinq ans, *sans avoir jamais suivi un seul cours de grammaire formelle* ! Peut-être le professeur de classe d'accueil aura-t-il fait allusion, quant à lui, aux temps de verbes en français ; cependant, ces connaissances ne devraient pas faire partie du cours d'orthographe grammaticale d'une classe régulière, avant la fin du primaire. Pourquoi ? Parce que, dans la majorité des cas, les élèves n'ont pas besoin de connaître les divers temps et modes de la conjugaison française pour apposer aux verbes les bonnes finales.

Avant la 6e année : pas d'initiation aux temps ni aux modes

Je m'explique. Quel besoin l'élève a-t-il, par exemple, de connaître le passé composé, le présent ou le futur pour bien orthographier la finale des verbes avec *nous* ? Puisqu'il utilise déjà à bon escient les temps de verbes à l'oral, il lui suffit d'écrire ce qui lui vient spontanément à l'esprit, *nous avon...* *lavé*, *nous lavon...* ou *nous laveron...* par exemple, en ajoutant un -*s* à la fin du verbe qui finit par le son [on]. Un seul verbe ne se termine pas par le son [on], *nous sommes*, et il prend également un -*s*. Ainsi, dès que l'enfant reconnaît le verbe qui obéit au sujet *nous* dans une de ses phrases, il n'a plus qu'à y apposer un -*s* à la fin, sans même savoir consciemment à quel temps et à quel mode il l'a employé.

La règle, formulée en fonction des besoins de l'usager, peut donc s'énoncer comme suit : « Le verbe qui obéit au sujet (ou « chef ») *nous* finit toujours par -*s*. » Le véritable problème de l'enfant en matière d'orthographe grammaticale réside donc dans *le repérage efficace du verbe* (sujet traité longuement un peu plus loin), et non dans la reconnaissance du temps et du mode de ce verbe. Notons qu'à quelques variantes près des règles analogues peuvent être formulées pour les verbes avec *tu*, avec *vous* et avec *ils/elles*, comme on le voit dans la grammaire nouvelle de 3ᵉ année qui se trouve à la fin de ce chapitre.

Prenons maintenant un cas plus complexe, celui des finales de verbes avec *je*, soit *-ai*, *-ais*, *-e*, *-s* et *-x*. Le recours au son entendu à la fin du verbe règle déjà le cas de deux de ces finales, de la manière la plus simple. La règle peut être formulée comme suit : « Si le son entendu à la fin du verbe est [é], la finale est *-ai* ; si le son entendu est [è], la finale est *-ais*. » Il suffit de mentionner quelques exceptions, et voilà les élèves de 3ᵉ année en mesure d'apposer à bon escient aux verbes ces finales, à des temps et modes aussi divers que dans les exemples suivants : *j'ai* (présent), *je regarderai* (futur), *j'aurai fini* (futur antérieur) et *j'ai mangé* (passé composé) ; *je fais* (présent), *j'aimerais* (conditionnel présent), *j'écrivais* (imparfait), *j'avais acheté* (plus-que-parfait) et *j'aurais aimé* (conditionnel passé).

Le succès des élèves dépend cependant de deux conditions : d'une part, ils doivent repérer adéquatement le verbe conjugué qui s'accorde, par exemple *ai* dans *j'ai mangé* et *aurais* dans *j'aurais aimé* (condition tout aussi nécessaire, soit dit en passant, qu'il s'agisse de la grammaire scolaire traditionnelle ou de la nouvelle grammaire proposée) ; d'autre part, ils doivent connaître les quelques exceptions qui existent à la règle fournie ici. Par exemple, le verbe *savoir* se prononce généralement *je* [sé] ; le verbe se termine donc par le son [é], alors qu'il faut écrire *je sais*. Quant aux verbes suivants, ils se terminent par le son [è], mais ne prennent pas la finale *-ais* : *je mets*, *je remets*, *je promets* et autres dérivés du verbe *mettre* ; *je vêts* et dérivés (fort peu usités à l'écrit, à vrai dire) ; *j'essaie* et autres verbes en *-ayer*. Ce sont les seules exceptions, si l'on exclut le *-aie* du subjonctif, enseigné au secondaire seulement. En 3ᵉ année, outre *je sais*, on peut se contenter de mentionner *je mets*, *je remets*, *je promets*, et ajouter les autres exceptions progressivement jusqu'en 5ᵉ.

Le son entendu à la fin du verbe ne permet cependant pas de régler le cas de toutes les finales de verbes avec *je* : le recours à l'infinitif demeure nécessaire pour certaines d'entre elles, *je cours*, *je finis*, *je crie*, par exemple. Cela peut aussi être enseigné sans mention de temps ni de mode. Il suffit de formuler la règle comme suit :

> Lorsqu'un verbe avec *je* ne finit ni par le son [é], ni par le son [è], on cherche l'infinitif du verbe, c'est-à-dire le nom du verbe tel qu'il se trouve dans le dictionnaire. Pour le découvrir, il suffit de dire le verbe après *il va*. Exemples : *je cour(?)* : *il va courir*; *je cri(?)* : *il va crier*.

> Si l'infinitif est en *-er*, le verbe se termine par *-e*. Dans les autres cas, le verbe se termine par *-s*, sauf *je peux*, *je veux*, *je vaux*, et quelques exceptions qui prennent un *-e*.

> La finale n'est *jamais -es*. Donc, quand on tombe sur un verbe d'exception, comme : *je souffre*, *j'offre*, *je cueille*, on est forcé de mettre un *-e*, car autrement on obtiendrait des « folies » comme : *je souffrs*, *j'offrs*, *je cueills* (sic).

Cette dernière partie de la formulation de la règle est très utile, car elle prévient les fautes du type : *je coures*, *je cries* (sic), erreurs fréquentes dans les copies d'étudiants du secondaire et même de C.E.G.E.P. De plus, elle dispense les élèves d'apprendre par cœur les quelques exceptions en *-e* dont l'infinitif n'est pas en *-er*, soit : *j'ouvre*, *je couvre*, *je souffre*, *j'offre*, *je cueille* et leurs dérivés. En effet, dès qu'un élève, en train d'écrire *j'offr(?)* par exemple, se demande quelle finale inscrire, il n'a guère le choix : *j'ouvres* lui est interdit (pas de finale en *-es*) et *j'ouvrs* aboutit à une séquence de lettres inusitée en français. Il est donc forcé de se rabattre sur le *-e*! Il suffira en classe de souligner l'incongruité de *je* *souffrs*, *je cueills*, etc. : les élèves comprendront aisément pourquoi ces verbes prennent un -*e* et non un -*s*.

Pour les verbes avec *il/elle/on*, on adoptera une procédure analogue à celle des verbes avec *je* ; on parlera cette fois de verbes finissant par le son [a] qui se terminent par -*a* : *il a*, *il va*, *il aura*, *il fera* (avec comme seules exceptions : *il bat* et les dérivés de *battre*) et de verbes finissant par le son [è] qui se terminent par -*ait* : *il fait*, *il avait*, *il ferait* (sauf : *il est*, en plus des mêmes exceptions que pour les verbes avec *je* : *mettre* et dérivés, *vêtir* et dérivés, verbes en -*ayer*). Le recours à l'infinitif sera nécessaire dans les autres cas. La règle pourra alors être formulée comme suit :

Quand le verbe ne finit ni par le son [a], ni par le son [è], la finale est -*e* si l'infinitif est en -*er*, -*d* si le verbe finit par -*dre* (sauf les verbes en -*indre* et -*soudre*) et -*t*, dans tous les autres cas, sauf quand on obtient des finales inusitées du type : *il ouvrt*, *il découvrt* (sic) ; on met alors -*e*.

Une remarque ici à propos de la finale -*a*. Le programme de 1979 suggère de ne pas s'en préoccuper, puisqu'elle est fournie à l'oral. Mais comme le font remarquer fort justement certains enseignants, tant qu'on n'enseigne pas explicitement aux élèves que telle finale s'écrit comme elle se prononce, ils ne peuvent être certains de ce fait. Ils peuvent croire, à tort, qu'on doit écrire : *il serat* ou *elle marcherat* (sic) ! D'où l'idée d'enseigner systématiquement la finale -*a*.

Par ailleurs, en ce qui concerne les verbes qui finissent par le son [è], signalons que quelques élèves éprouveront peut-être de la difficulté à placer la bonne finale : il s'agit de ceux qui, à l'instar d'une minorité de francophones européens, auraient tendance à prononcer le [è] comme un [é], ce qui est trompeur pour les verbes avec *je* qui finissent différemment selon que le son final est [é] ou [è]. Notons que, même avec le meilleur enseignement traditionnel, certains élèves, en

France, continuent à confondre les finales -*ai* et -*ais*, dans des phrases du type : *J'aimerais aller chez toi ce soir*. Ils écrivent : *J'aimerai* (sic). On rencontre même parfois ce type de faute dans certaines publications françaises. Les verbes avec *tu* et avec *il/elle/on*, quant à eux, ne présentent pas cette difficulté, puisqu'ils ne finissent jamais par le son [é] ni par les lettres -*ai*. Si, par hasard, un élève écrit : *elle aimerai (sic) te téléphoner demain*, on n'a qu'à lui signaler de traduire le son [é] qu'il prononce par les lettres -*ait*.

Si l'on adopte l'approche préconisée ici, on initiera les élèves en beaucoup moins de temps qu'auparavant à toutes les finales de verbes, aux temps et aux modes courants. Seules resteront à être abordées, au secondaire, les finales de verbes au subjonctif et au passé simple qui présentent des difficultés particulières, comme : *que j'aie*, *qu'il croie*, *nous passâmes*, *vous fîtes*, etc.

En 6ᵉ année : initiation à la conjugaison

En 6ᵉ année, une fois toutes les finales de verbes *parfaitement* maîtrisées de la façon simple explicitée plus haut, vient le temps d'initier les élèves aux notions de temps et de modes ; à cet âge, les enfants commencent à accéder à la pensée formelle et sont, de ce fait, en mesure de comprendre plus rapidement ces concepts. Il ne s'agit pas alors d'enseigner aux élèves *à former* les divers temps et modes (sauf pour le passé simple, absent de la langue orale), ce qu'ils font déjà bien, mais simplement à *les reconnaître*, ce qui prend un minimum de temps. (Les précieuses heures ainsi gagnées peuvent alors être investies utilement dans l'enseignement de l'accord du participe passé, entre autres avec l'auxiliaire *avoir*, présentement repoussé au secondaire.)

La connaissance des temps et des modes est utile aux élèves, entre autres, pour prendre conscience que c'est *au présent* que les verbes suivants finissant par le son [è] ne prennent pas la finale -*ais* avec *je* et *tu*, ni la finale -*ait* avec *il/elle/on* : *mettre* et dérivés, *vêtir* et dérivés, verbes en -*ayer*, de même que *tu es* et *il est* (ce sont là les seules exceptions). Jusque-là, ils auront appris par cœur les expressions les plus fréquentes : *je mets, je remets, j'essaie, il est*, etc.

La conjugaison aide également à comprendre plus facilement certaines caractéristiques du radical des verbes, comme la présence du -*e* muet dans certains verbes en -*er* au présent avec *tu* (*tu cries*), de même qu'aux trois personnes du singulier, au conditionnel et au futur (*je jouerais, tu étudieras, on louera*). Elle permet de signaler que les verbes à l'imparfait prennent parfois deux *i* d'affilée, comme dans *vous criiez*, ce qui est normal quand le radical finit par -*i* (et ne change pas ce -*i* en -*y*, comme dans *vous voyiez*), la finale, quant à elle, étant toujours -*iez*.

La connaissance de la conjugaison pave aussi la voie à l'apprentissage du subjonctif et du passé simple, sans compter qu'elle permet d'initier les élèves à consulter efficacement des tableaux de conjugaison. Cette dernière habileté leur sera utile – très occasionnellement, il est vrai, puisque toutes les finales sont alors déjà parfaitement maîtrisées – pour solutionner certains problèmes, le plus souvent d'orthographe d'usage, comme l'accent ou le redoublement de consonnes dans des verbes comme *j'achète/je jette, j'appelle/je gèle* ; ou encore l'accent circonflexe dans certains verbes comme *connaître*.

Pour préparer efficacement les élèves au secondaire, on peut en profiter aussi, en 6e année, pour les initier à reconnaître l'auxiliaire *avoir* dans les temps composés et à le différencier de l'auxiliaire *être* – qui se distingue, quant à lui, par la simple présence du mot *été* dans des cas du type : *ils ont apporté* et *ils ont été apportés*. Dans les autres cas, la reconnaissance de l'auxiliaire *être* est inutile, comme on le verra plus loin dans la section consacrée à l'adjectif et au participe passé. Encore là, il ne s'agit pas d'apprendre aux enfants à former les temps composés : ils les utilisent déjà à bon escient. Il suffit de les rendre capables de repérer dans leurs propres textes l'auxiliaire *avoir*, ce qui sera nécessaire ultérieurement pour faire l'accord des quelques rares cas de participes passés qui n'auront pas déjà été enseignés au primaire.

Distinction entre sujet évident et sujet caché

D'après le programme de 1979, c'est en 3ᵉ année que commence l'enseignement systématique de l'accord du verbe, ce qui paraît un moment judicieux. Une approche pertinente commande, on l'a vu, de toujours commencer par les cas les plus simples pour aller vers les plus complexes. Ainsi, pour développer dans un premier temps le concept de verbe, il est bien plus facile de partir uniquement des verbes ayant pour sujet un pronom personnel (*il* court, *tu* joues). Ce dernier, aisément reconnaissable par l'enfant dans ses propres textes, agit alors comme un signal évident de faire l'accord. Traiter en même temps le groupe nominal sujet (*mon frère* court, *mes amis* jouent), comme le recommande le programme de 1979, constitue une difficulté trop grande pour le débutant, car la reconnaissance simultanée du verbe et de son sujet cause alors problème.

Si l'on attend que le concept de verbe soit bien intégré avant d'aborder, en 4e année, les verbes aux sujets « cachés », comme on les appelle en langage vulgarisé, on posera des bases plus solides en moins de temps et on mettra ainsi le succès davantage à la portée de tous. Rappelons que les enfants font beaucoup plus d'erreurs sur ce deuxième cas que sur le premier.

D'ailleurs, comme on le verra maintenant, le repérage du verbe dans ces deux cas n'appelle pas le même type d'interventions pédagogiques. Précisons tout de suite que le raisonnement nouveau adopté pour repérer le verbe ayant pour sujet un groupe nominal aura pour effet de simplifier singulièrement cet apprentissage, ce qui devrait entraîner à court terme de meilleurs résultats, en situation d'écriture. Mais parlons d'abord du repérage du verbe ayant pour sujet un pronom personnel. Comment l'élève doit-il s'y prendre pour reconnaître dans son texte les verbes qui s'accordent avec un tel pronom? Cela suppose évidemment que l'élève possède, dès le départ, une définition efficace du verbe qui s'accorde.

Définition, repérage du verbe et terminologie suggérée

Une des grandes difficultés de la grammaire traditionnelle réside justement dans la définition qu'elle donne du verbe (comme d'ailleurs, on le verra plus loin, du nom, de l'adjectif et des déterminants), définition peu rigoureuse et, par là, peu pratique pour le scripteur. Par exemple, elle définit le verbe comme étant le mot qui exprime l'action ou l'état. Quel est donc le verbe dans les phrases suivantes : *Hier, il y a eu un déménagement sur ma rue*, *Il faut leur assurer le boire et le manger* et *Elle est malade*? N'est-ce pas *déménagement*, *boire*, *manger* (actions) et *malade* (état), plutôt que *a*, *faut* et *est*? Dans la phrase : *Elle a de beaux yeux*, le mot *a* exprime-t-il une action ? un état ? De plus, munis d'une telle définition, dans une phrase comme : *Elle avait fini ses devoirs quand tu es arrivé*, beaucoup d'élèves auront tendance à repérer les mots *fini* et *arrivé* comme étant les verbes recherchés, puisque ce sont les « mots d'action », et à les accorder en conséquence avec le sujet, ce qui donne : *finit* et *arrivés* (sic).

Depuis les années 50, un courant linguistique important est apparu, appelé « grammaire structurale ». Cette dernière propose, en ce qui concerne les divers termes grammaticaux, des définitions fonctionnelles beaucoup plus pratiques en orthographe que ne le sont les définitions traditionnelles. Ainsi, on reconnaît le verbe au fait que c'est un mot *qui se conjugue*. Au secondaire, il est possible de mentionner cette définition, puisque les élèves, déjà initiés à la conjugaison, possèdent alors la maturité cognitive suffisante pour comprendre facilement ce concept. Mais auparavant ?

Verbes au pronom personnel sujet. Dans cette même perspective fonctionnelle, mais adaptée à des enfants plus jeunes, voici une façon d'initier progressivement les élèves à la notion de verbe. En 3e année, le verbe est reconnu à partir des déclencheurs, ou signaux d'alarme, que constituent les principaux pronoms personnels sujets. Dès que l'enfant voit l'un de ces pronoms, ces « chefs de verbes évidents » comme on pourrait les appeler, par exemple *je*, il se pose la question : *je… quoi?* Le premier mot de la réponse est le mot à accorder, si l'on exclut les petits mots comme *ne*, *me*, *les*, *lui*, *en*, etc., « qui ne comptent pas ». Cela évite, entre autres, d'avoir à faire allusion aux temps composés; dans une phrase comme : *il avait perdu sa balle*, la réponse à la question : *il… quoi?* est indifféremment *avait perdu* ou *avait perdu sa balle*, peu importe. Le verbe qui s'accorde est le premier mot de la réponse, soit *avait*. Il faut simplement ajouter cependant que les mots *a*, *ai*, *as*, *es* et *est* sont des verbes, tout en étant de petits mots.

Ainsi, le conditionnement se crée à partir des mots *je*, *tu*, *il*, *on* et *ils*, toujours « chefs de verbes »[2]. Quant aux mots *elle* et *elles*, il suffit d'expliquer qu'ils sont des « chefs de verbes évidents » chaque fois qu'on peut y substituer *il(s)*. Par exemple, dans la phrase : *Elle veut le ramener chez elle*, on peut dire *il veut*, mais non *chez il*! Le mot *nous*, quant à lui, est sujet quand le verbe qui lui obéit finit par le son [on] (sauf *nous sommes*). Prenons par exemple la phrase : *Tu nous écriras*. Si l'élève se dit : *Nous... quoi*? et répond : *Nous écriras*, il conclut que le mot *écriras* ne peut obéir au chef *nous*, puisqu'il ne finit pas par [on]. Quant au « faux chef » *nous*, dans des phrases comme : *ils nous appelleront*, il sera traité en 5e année seulement, comme le recommande le programme de 1979, une fois le concept de verbe bien intégré. Le mot *vous* enfin est sujet d'un verbe quand ce dernier finit par le son [é] ou qu'il s'agit d'une des trois exceptions courantes : *faites*, *dites*, *êtes*. Les cas du type : *ils vont vous inviter* seront abordés en 4e année seulement, quand on traitera les finales homophoniques *-é/-er*.

À force d'être systématiquement attentifs, en 3e année, à ces « signaux d'alarme » que constituent les neuf pronoms personnels sujets habituels, les élèves développeront solidement une partie du concept de verbe, « mot qui obéit à certains chefs évidents », faciles à repérer dans la phrase et qu'on peut par exemple souligner ou encercler. Ils se familiariseront ainsi peu à peu avec les mots susceptibles d'être des verbes qui s'accordent, ce qui préparera le terrain à l'accord du verbe

---

2.   En réalité, tous les mots de la langue peuvent être employés comme substantifs, à un moment ou à un autre. Ainsi, on pourra faire remarquer à un élève qu'il a mis « beaucoup de *ils* » dans son texte, le mot *ils* étant alors pris comme nom. On fait allusion ici à la nature habituelle des mots cités.

avec un groupe nominal sujet, qu'on abordera idéalement en 4ᵉ année seulement. Avec le temps, on ajoutera à la liste d'autres pronoms sujets, notamment *ce*, *ça*, *cela* et *c'*.

Notons qu'avec la procédure suggérée le fait qu'il y ait inversion du sujet ne pose aucune difficulté. Exemple : *Aurais-tu aimé y aller ? Tu... quoi ? Tu aurais aimé y aller*. Le premier mot de la réponse, *aurais*, est le mot qui s'accorde avec le sujet (ou « chef ») *tu*.

Verbes au groupe nominal sujet. Restent les verbes « aux chefs cachés », c'est-à-dire, dans notre jargon d'adulte (outre les verbes à l'impératif, plus faciles à trouver parce qu'ils « donnent un ordre ou un conseil »), ceux qui obéissent à un groupe nominal sujet. Là encore, on doit à tout prix se mettre à la portée des enfants et leur inculquer un moyen simple pour trouver ces verbes *à coup sûr*. C'est facile : « ce sont les mots de la phrase devant lesquels on peut dire : *il(s)* ou *elle(s)*, ou occasionnellement *qu'il(s)* ou *qu'elle(s)*, en excluant les petits mots qui ne comptent pas ». Exemple : *Ce matin, monsieur et madame Leclerc rangent les grosses valises brunes dans la voiture*. Ici, c'est devant le mot *rangent* qu'on peut dire *il(s)*. On ne sait pas encore s'il s'agit du mot *il* ou *ils*, mais on sait qu'il y a là un verbe au sujet caché.

Dès qu'on découvre le mot devant lequel on peut dire *il(s)* ou *elle(s)* [ou encore *qu'il(s)* ou *qu'elle(s)*], on se pose la question : *Qui est-ce qui... ?* (ou *qu'est-ce qui... ?*) : *Qui est-ce qui range les valises ? C'est monsieur et madame Leclerc*. La question de la grammaire traditionnelle pour trouver le sujet du verbe demeure donc tout à fait pertinente, mais seulement pour le cas précis des verbes ayant pour sujet un groupe nominal. (Autrement, elle est superflue, car on découvre le pronom sujet directement, avant même de trouver le verbe.) Si le sujet trouvé peut être remplacé par *il* ou *elle*, le verbe s'accorde comme avec les sujets *il/elle/on* ; s'il peut être remplacé par *ils* ou *elles*, comme dans l'exemple précédent, il s'accorde comme avec les sujets *ils/elles*. D'où la finale *-nt* de *rangent*.

Les seuls verbes qui échappent à cette procédure sont ceux, assez rares, qui possèdent des sujets de deux personnes différentes, comme *Aline et toi irez au cinéma*, cas enseigné en 6ᵉ année seulement.

Exemples d'analyse de verbes ayant pour sujet un groupe nominal. Pour illustrer le type d'analyse nouvelle proposé, observons maintenant les extraits suivants d'un texte d'élève de 6ᵉ année, tiré du recueil *BIZZzz et Noiraud*[3]. Partout où l'on peut dire *il(s)* ou *elle(s)*, ou encore *qu'il(s)* ou *qu'elle(s)*, devant un mot ou une séquence de mots, de manière que la phrase ait du sens, on est en présence d'un verbe conjugué :

> Noiraud marche longtemps, très longtemps. (...) Il se repose près d'un chêne et s'endort. Bang! une noix lui tombe sur la tête. Noiraud se réveille juste à temps pour apercevoir un écureuil disparaître dans un fourré. (...) Il reprend sa route. (...) Plus loin, il entend des pleurs. Que voit-il? un joli petit bébé faon, mais pourquoi autant de larmes? Noiraud comprend vite que le ballon du petit faon est pris dans une branche.

> *Tania Laurin*

Voici, assortis de quelques commentaires, des exemples du nouveau type d'analyse grammaticale que l'élève devrait effectuer :

> *Noiraud marche longtemps, très longtemps* : On peut dire : *il marche longtemps*. Je me pose donc la question : qui est-ce qui marche? Réponse : *Noiraud*. Ce sujet peut être remplacé par *il*; le verbe s'accorde alors comme les verbes avec *il*. *Il...* quoi? *Il marche longtemps*; le premier mot de la réponse est le verbe qui s'accorde, soit *marche*.

---

3.   Ministère de l'Éducation du Québec, *op. cit.*, p. 29.

Il se repose près d'un chêne et s'endort. On peut dire : *il s'endort*. Je me pose donc la question : qui est-ce qui s'endort ? Réponse : *Noiraud*. Ce sujet peut être remplacé par *il*. Le verbe s'accorde alors comme les verbes avec *il*. *Il...* quoi ? *Il s'endort* ; le premier mot de la réponse est le verbe qui s'accorde, soit *s'endort*.

Bang ! une noix lui tombe sur la tête. On peut dire : *il (ou elle) lui tombe sur la tête*. Je me pose donc la question : qu'est-ce qui lui tombe sur la tête ? Réponse : *une noix*. Ce sujet peut être remplacé par *elle* ; le verbe s'accorde alors comme les verbes avec *elle*. *Elle...* quoi ? *Elle lui tombe sur la tête* ; le premier mot de la réponse est le verbe qui s'accorde, après avoir exclu le petit mot *lui* qui ne compte pas.

Noiraud se réveille juste à temps pour apercevoir un écureuil disparaître dans un fourré. On peut dire : *il se réveille juste à temps pour apercevoir...* Je me pose donc la question : qui est-ce qui se réveille ? Réponse : *Noiraud*. Ce sujet peut être remplacé par *il*. Le verbe s'accorde alors comme les verbes avec *il*. *Il...* quoi ? *Il se réveille* ; le premier mot de la réponse est le verbe qui s'accorde, après avoir exclu le petit mot *se* qui ne compte pas.

Notons que, comme on ne peut pas dire : *il(s) ou elle(s) apercevoir*, l'enfant n'a pas à prendre en compte dans l'analyse ce verbe à l'infinitif. Ceci vaut pour tous les verbes à l'infinitif.

Que voit-il ? un joli petit bébé faon, mais pourquoi autant de larmes ?

L'enfant pourrait se demander ici si le mot [fan] qu'il cherche à écrire est un nom (c'est-à-dire, comme on le verra plus loin, « un mot qu'on peut dire après *un*, *une* ou *des* »), ou encore un verbe qu'on peut dire après *il(s)* ou *elle(s)*. Comme il s'agit de son propre texte, il sait bien qu'il parle d'*un faon* (l'animal) et non de *il fend* (le verbe).

Par ailleurs, comme il n'arrive pas à mettre *il(s)* ou *elle(s)* devant quelque mot que ce soit de cette phrase et qu'elle ne contient aucun pronom personnel sujet, il en conclut que la phrase ne comporte ici aucun verbe conjugué.

Comme on le constate, avec le nouveau type d'analyse suggéré, les élèves n'ont pas à se préoccuper des phrases sans verbe conjugué. On évitera donc de leur faire apprendre que « la phrase contient toujours un sujet et un verbe ». Il s'agit là d'un faux critère de reconnaissance de la phrase, comme on le verra plus loin au chapitre de la ponctuation; les textes d'auteurs réputés comportent en effet souvent des phrases sans verbe conjugué. Malheureusement, ce critère est encore aujourd'hui trop souvent enseigné dans nos écoles. Il est facile de comprendre pourquoi : on craint tellement que les élèves omettent le repérage d'un verbe conjugué qu'on juge plus sûr d'expliquer que toute phrase doit comporter un tel verbe, même si ce raisonnement n'est pas juste. Ainsi l'enfant sera toujours vigilant! Une simple transformation du type d'analyse à effectuer suffit pourtant à éliminer ce problème, l'élève disposant désormais d'un critère sûr pour identifier dans son texte tous les verbes conjugués.

Noiraud comprend vite que le ballon du petit faon est pris dans une branche.

Le verbe *comprend* s'analyse de la même manière que précédemment; quant au verbe *est*, voici comment l'analyser :

On peut dire : *il est pris dans une branche* (ou *qu'il est pris dans une branche*). Je me pose donc la question : qu'est-ce qui est pris dans une branche? Réponse : *le ballon du petit faon.* Ce sujet peut être remplacé par *il.* Le verbe s'accorde alors comme les verbes avec *il. Il... quoi? Il est pris dans une branche*; le premier mot de la réponse est le verbe qui s'accorde, donc *est.*

Comme on ne peut pas dire : Il comprend vite qu'il est *il prit* dans une branche, il est évident que le mot *pris* n'est pas ici un verbe qui s'accorde. L'élève ne s'occupe donc pas ici du mot *pris*.

Sans doute, si tous les élèves avaient appris à repérer le verbe de la façon expliquée ici déplorerait-on moins d'échecs relatifs à la finale des verbes, à la fin de la 6e année, en particulier ceux qui ont pour sujet un groupe nominal... Les enfants connaissent généralement bien les règles d'accord : ce qu'il leur manque, c'est un moyen *infaillible* de *repérer* le verbe à accorder. Le nouveau type d'analyse suggéré ici devrait solutionner ce problème. En effet, il est aisé pour l'élève d'appliquer un critère fonctionnel : mettre *il(s)* ou *elle(s)* dans telle phrase donnée « fonctionne » ou « ne fonctionne pas ». Sensible au sens, il perçoit tout de suite si le critère s'applique ou non ; la probabilité qu'il accorde correctement le verbe par la suite s'accroît d'autant.

Toutefois, si ce critère fonctionnel s'applique sans problème à la très grande majorité des cas, quelques ajouts au raisonnement suggéré sont cependant nécessaires pour solutionner certains cas plus complexes. Voici ceux qui risquent de causer problème :

1° Les verbes au sujet inversé. Exemples : « *Maman! s'écrie Noiraud* ; *Dans ce château vivaient un roi et une reine* ; *Les problèmes que pose l'orthographe grammaticale...* L'enfant risque de faire les raisonnements suivants :

Il s'écrie Noiraud : cela ne respecte pas le sens de la phrase. *Ils vivaient un roi et une reine*, ça ne se dit pas. *Il pose l'orthographe grammaticale*, ça ne se dit pas non plus. *S'écrie, vivaient* et *pose* ne sont donc pas des verbes qui s'accordent... (sic)!

Comme on le constate, là où l'inversion du sujet ne soulève aucune difficulté quand il s'agit du pronom sujet, elle en soulève quand il s'agit plutôt du groupe nominal sujet. La façon de contourner le problème consiste à recommander aux élèves, au moment où ils découvrent où placer le *il(s)* ou *elle(s)*, d'enchaîner avec les mots qui suivent ce *il(s)* ou *elle(s)* tant qu'on n'obtient pas un contresens, mais d'arrêter juste avant le mot qui crée le contresens.

Dans les exemples cités, l'enfant fera donc les raisonnements suivants :

> *Il s'écrie Noiraud* donne un contresens, mais on peut dire cependant en français : *il s'écrie*. J'arrête donc le raisonnement après *s'écrie*. Qui est-ce qui s'écrie? *Noiraud*. Etc.

Dans un cas comme celui-ci, dès que l'élève se pose la question habituelle pour trouver le sujet, il se rend compte que ce dernier est inversé, ce qui explique le contresens obtenu dans un premier temps.

> *Ils vivaient un roi et une reine*, ça ne se dit pas, mais *ils vivaient*, si. J'arrête donc le raisonnement après *vivaient*. Qui est-ce qui vivaient? *Un roi et une reine*. Etc.

> *Il pose l'orthographe grammaticale* (ou *qu'il pose l'orthographe grammaticale*), ça ne se dit pas, mais *il pose* (ou *qu'il pose*) se dit bien en français. J'arrête donc le raisonnement après *pose*. Qu'est-ce qui pose? *L'orthographe grammaticale*, donc *elle*. Etc.

2º Les verbes à un temps composé. Exemples : *Bien que ma mère soit partie...* et *Mon frère a fini ses devoirs.*

Certains élèves pourraient raisonner comme suit : *qu'il soit* et *il partit* sont deux expressions qui se disent bien en français, de même que : *il a* et *il finit*, dans le second exemple. Donc j'accorde chacun de ces verbes (sic)! Notons que les cas où le participe passé constitue un homophone du verbe conjugué, comme *fini/finit*, *remis/remit*, *bu/but*, etc., sont assez rares. L'initiation à la conjugaison, en 6e année et au secondaire, lèvera la difficulté de cas comme *soit partie* et *a fini*, les deux mots étant alors perçus comme formant un seul verbe à un temps composé. En attendant, les élèves régleront le problème comme suit :

Il soit parti ne se dit pas en français, mais *qu'il soit parti*, si, et cela sans contresens. Qui est-ce qui soit parti? *Ma mère*, donc *elle*. *Qu'elle...* quoi? *Qu'elle soit partie*. Le premier mot de la réponse est le verbe qui s'accorde, donc *soit*.

Il a fini ses devoirs se dit bien, sans contresens. Qui est-ce qui a fini ses devoirs? *Mon frère*, donc *il*. *Il...* quoi? *Il a fini ses devoirs*. Le premier mot de la réponse est le verbe qui s'accorde, donc *a*.

3° Les verbes avec *qui*. Exemples : *Le joueur qui obtient le plus de points est celui qui devient meneur de jeu*. On peut dire : *il obtient*, *il est* et *il devient*. Analysons donc ces trois verbes.

Il obtient le plus de points se dit bien sans contresens (alors que : *Il obtient le plus de points est celui* n'aurait pas de sens, ni *Il obtient le plus de points est celui qui gagne*). J'arrête donc le raisonnement après le mot *points*. Qui est-ce qui obtient? *Le joueur*, donc *il*. Etc.

Il est celui ne se dit pas (il faudrait dire : *c'est celui*). Donc j'arrête après *il est*. Qui est-ce qui est? *Le joueur*, donc *il*. Etc.

Il devient le meneur de jeu se dit bien. Qui est-ce qui devient le meneur de jeu? *Le joueur qui obtient le plus de points*, donc *il*. Etc.

4° Les pronoms indéfinis non réductibles à *il*. Exemples : *Nul ne pourra détruire cette union*; *Rien ne pourra détruire cette union*; *Quiconque voudrait détruire cette union...*; *Qui pourrait détruire cette union?* Pour que les élèves analysent bien ces cas, il convient de leur expliquer le concept de pronoms indéfinis, mais pas avant le cours secondaire toutefois. Ils auront alors la maturité cognitive suffisante pour comprendre que les pronoms indéfinis réductibles, non au mot *il*, mais plutôt aux mots *quelqu'un*, *personne*, *quelque chose*, *cela* ou *rien* s'accordent comme avec le pronom *il*, même si la substitution de *il* à *nul*, pour reprendre le premier exemple, dénature le sens de la phrase, le mot *personne* convenant mieux alors.

Sujet du verbe ou « chef » du verbe?

Un mot maintenant de la terminologie employée, en particulier du terme *sujet*, très polysémique. L'enfant connaît déjà son sens abstrait (« le sujet d'un texte », par exemple) et aussi sans doute son autre acception moins fréquente « les sujets d'un roi qui doivent lui obéir », sens qui transposé en grammaire prête à confusion, puisque c'est plutôt le sujet qui commande au verbe. C'est pourquoi je suggère d'appeler le *sujet* le *chef* du verbe. Il ne fait pas de doute que, pour créer chez le jeune élève le concept de verbe qui s'accorde avec son sujet, l'image du « chef qui commande » et du verbe « qui lui obéit » est excellente.

En matière de terminologie, il semble se dégager un consensus actuellement chez les pédagogues du Québec (enseignants, conseillers pédagogiques, etc.) à l'effet qu'on fournisse aux élèves, dès le départ, à la fois l'expression vulgarisée, imagée et concrète, et le terme suggéré par la grammaire traditionnelle, l'enseignant(e) utilisant indifféremment en classe l'un ou l'autre, voire les deux conjointement.

Ainsi le terme *sujet* sera connu des enfants, peu importe l'école ou la classe dans laquelle ils se retrouvent ; mais en même temps les expressions *chef qui commande* et *verbe qui lui obéit* faciliteront l'acquisition des concepts, en particulier aux enfants plus jeunes et à ceux qui éprouvent des difficultés d'apprentissage. Comme le but poursuivi est la réussite orthographique, la présence d'un vocabulaire imagé et concret aux côtés de la terminologie traditionnelle devrait entraîner à court terme chez les élèves des résultats plus probants. C'est là un aspect important d'une approche « amicale pour l'usager ».

Comment enrayer les fautes relatives aux finales homophoniques *-él-er* ?

La confusion entre les finales *-él-er* des participes et de l'infinitif constitue l'une des fautes d'orthographe grammaticale les plus fréquentes à l'heure actuelle. Rappelons que les responsables de l'évaluation du ministère de l'Éducation du Québec, dans leur rapport de 1989, concluent que « les terminaisons homophoniques des verbes, particulièrement la confusion entre **é** et **er**, sont peu maîtrisées par les élèves[4] ». Pourtant, ces derniers apprennent systématiquement, depuis la 4e année, à distinguer ces deux finales. Comment se fait-il alors que tant d'enfants n'appliquent pas correctement dans leurs textes la règle de substitution *bâtir/bâti* qu'ils connaissent fort bien ?

À l'analyse, il semblerait, une fois encore, que le problème ne consiste pas tant dans une méconnaissance de la règle (ou

---

4. Ministère de l'Éducation du Québec, Direction générale de l'évaluation, *Les Résultats de l'épreuve de français écrit de sixième année du primaire, administrée au mois de mai 1988. Rapport global*, Gouvernement du Québec, janvier 1989, p. 43.

si l'on veut ici du procédé de substitution), mais plutôt dans *le repérage adéquat par l'élève des mots auxquels il doit appliquer le procédé*. C'est qu'il existe, en français, une multitude de termes qui finissent par le son [é], et l'élève ne possède aucun critère précis, infaillible, pour savoir à quels mots de son texte appliquer la substitution.

Pour combler cette lacune, voici un critère fonctionnel qui prend réellement en compte les besoins du scripteur, donc « amical pour l'usager » : « Dès que, dans le texte qu'on est en train d'écrire, un mot finissant par le son [é] se dit bien après *il va*, on y applique le procédé de substitution *bâtir/bâti*, après s'être assuré qu'il ne s'agit pas d'un nom. Si *bâtir* convient, on écrit la finale *-er*; si *bâti* convient, on écrit *-é*. Si ni l'un ni l'autre ne convient, on écrit *-ez*. » Notons que, dans l'expression *il va*, on suggère d'employer le pronom *il*, car celui-ci s'utilise même dans le cas des verbes impersonnels (exemple, *il a neigé* : *il va neiger*), ce qui ne serait pas le cas si l'on utilisait le pronom *elle*.

Voici maintenant ce critère fonctionnel appliqué à un certain nombre d'exemples, repris à la fin de ce chapitre dans la grammaire nouvelle proposée à l'élève :

J'irai chercher les clés qu'il a apportées : On ne peut pas dire *il va irai*, ni *il va clés*; on n'y applique donc pas le truc *bâtir/bâti*. En revanche, on l'applique aux mots *chercher* et *apportées*, car on peut dire *il va chercher* et *il va apporter*. Comme on peut substituer : *j'irai bâtir* à *j'irai chercher* et : *les clés qu'il a bâties* à *...qu'il a apporté*, le premier finit par *-er* et le second par *-é*. (Quant à l'accord de *apportées*, il concerne le chapitre des adjectifs.)

Si vous le voulez, amenez vos amis. On ne peut pas dire : *il va voulez*; on n'y applique donc pas le truc *bâtir/bâti*. En revanche, on l'applique au mot *amenez*, car on peut dire *il va amener*.

Mais, dans ce cas, comme on ne peut pas dire : *Si vous le voulez, bâtir vos amis*, ni *bâti vos amis*, on inscrit *-ez*.

La connaissance d'un critère sûr de repérage des mots auxquels appliquer le procédé de substitution doit aller de pair, chez les élèves, avec une démarche efficace de révision de textes. À cet effet, l'élève doit *toujours* commencer la correction de son texte par les finales homophoniques *-é/-er*, avant même de vérifier les autres finales de verbes ou d'adjectifs. De cette façon, il placera à bon escient, dès le départ, la finale *-er* du verbe, dans des cas complexes du type : *je vais vous inviter*. Si l'élève débute, au contraire, par la révision des verbes de son texte ayant pour sujet un pronom, il est probable qu'il prenne le mot *vous* pour un sujet et écrive en conséquence : *je vais vous invitez* (sic); il sera difficile alors de lui faire comprendre son erreur. Voici un exemple de l'analyse nouvelle à effectuer :

> *Je vais vous inviter dimanche. Inviter* finit par le son [é] et on peut dire : *il va inviter*; on y applique donc le truc *bâtir/bâti*. Comme on peut substituer *je vais vous bâtir* à *je vais vous inviter*, le mot *inviter* finit par *-er*.

De la même façon, si l'élève juge dès le départ qu'un mot en [é] se termine par *-é*, il sera mieux en mesure d'accorder ensuite cet adjectif au féminin et/ou au pluriel, le cas échéant. Seul ajout à faire à la règle, en 6ᵉ année, quand on sensibilise les élèves au passé simple : la règle des verbes en [é] avec *je* qui prennent tous la finale *-ai* (sauf *je sais*) a préséance sur le truc *bâtir/bâti*. On écrira donc : *j'arrivai, je téléphonai*, etc.

Finales particulières et groupes de verbes

Quand des finales ne peuvent être découvertes grâce au son entendu à la fin du verbe, comme c'est le cas de certaines finales avec *je* et avec *il/elle/on* notamment, on doit recourir à l'infinitif du verbe. Doit-on alors faire allusion aux groupes de verbes ? Voici, à ce sujet, la remarque du programme de 1979 concernant les finales *-e*, *-s* et *-x* des verbes à l'indicatif présent commandées par le sujet *je* :

> Pour amener l'écolier à maîtriser cet élément d'apprentissage, il est inutile d'utiliser la classification par groupes de verbes (1er groupe, 2e groupe, 3e groupe...) telle qu'on la retrouve le plus souvent dans les grammaires[5].

Une grammaire « amicale pour l'usager » cautionne cette position. Elle l'étend même, non seulement aux verbes avec *il/elle/on* à l'indicatif présent, comme on l'a vu précédemment, mais aussi aux verbes à l'impératif présent, à la deuxième personne du singulier. La règle s'énonce alors comme suit :

> Quand un verbe a pour chef sous-entendu *toi*, on cherche l'infinitif pour en trouver la finale. Les verbes en *-er* finissent tous par *-e*, *sauf va*; les verbes qui ne finissent pas par *-er* se terminent par *-s*, sauf quelques exceptions. Par ailleurs, la finale n'est jamais *-es*. On est donc forcé de mettre *-e*, dans des cas comme : *ouvre*, *cueille* et *sache*, pour éviter des finales inusitées en français, comme *ouvrs*, *cueills* et *sachs* (sic) !

Comme on le constate, la mention : « les verbes qui ne finissent pas par *-er* » évite d'enseigner la reconnaissance des verbes de 2e et de 3e groupe, ce qui simplifie d'autant la tâche de l'enfant, tout en étant aussi efficace en ce qui concerne

---

5. Cette remarque se retrouve respectivement aux pages 192 et 255 du programme.

l'apprentissage de l'orthographe correcte de la finale des verbes.

Notons que la seule mention de l'impératif présent, à la deuxième personne du singulier, dans le programme de 1979, se lit comme suit : « Dans le cas des verbes en -*er*, indiquer [à l'écolier] qu'il n'y a pas de -*s* » (p. 193, programme de 4ᵉ année). Une initiation systématique aux finales -*e* et -*s* paraît cependant préférable, si l'on veut assurer la réussite orthographique. D'où la présente proposition qui nécessite le recours à l'infinitif des verbes, mais non aux groupes de verbes.

Une progression judicieuse

Un des avantages appréciables de l'approche grammaticale préconisée ici est qu'elle permet, dans un programme, de déclarer terminales de nombreuses connaissances dès la 3ᵉ et la 4ᵉ année. En effet, à la fin de la 3ᵉ année, l'élève possède parfaitement bien les finales de verbes avec *tu* (-*s*, parfois -*x*), *nous* (toujours -*s*) et *vous* (-*ez*, plus trois exceptions en -*s*).

De plus, en ce qui concerne les finales de verbes avec *je*, par exemple, il maîtrise bien celles qui finissent par les sons [é] et [è], à savoir -*ai* et -*ais* (bien qu'il lui faille encore un peu de temps pour maîtriser les exceptions *je mets*, *je promets*, etc.); il connaît les deux exceptions en -*x* : *je peux* et *je veux*. Quant aux autres cas, il a appris – pourquoi pas ? – à éliminer toutes les finales autres que -*e* et -*s*; il sait de plus que la finale n'est jamais -*es*.

Comme on gagne un temps précieux, du fait de ne pas enseigner les temps ni les modes, l'élève peut se concentrer davantage sur le repérage du verbe et le choix de la bonne finale. Il est donc rapidement en mesure d'écrire sans faute des verbes du type : *j'ai*, *je ferai*, *j'étais*, *j'irais*, *je veux*, mais aussi *je mange*, *je viens*, puisqu'il sait que la finale est alors toujours *-e* ou *-s*, jamais *-es*. Il se peut qu'il écrive *je coure* au lieu de *je cours*, *j'écrie* au lieu de *j'écris*, mais on ne devrait plus voir dans les copies, à la fin de la 3e année : *je coures* ou *j'écries*, encore moins *j'appel*, *je voi*, *je grandi* (sic).

En ce qui concerne les verbes avec *il/elle/on*, à la fin de la 3e année, l'élève devrait bien maîtriser les finales *-a* et *-ait*. En revanche, l'apprentissage des autres finales, *-e*, *-t* et *-d*, exige le recours à l'infinitif ; on attendra donc la 4e année pour aborder cette procédure plus complexe. Quant aux verbes avec *ils/elles*, difficiles à accorder entre autres parce que le pronom lui-même prend une marque d'accord, ils ne seront pas maîtrisés à la fin de la 3e année. Beaucoup de terrain cependant aura été déblayé dès le départ, ce qui permettra de mieux ventiler les cas au fil des degrés.

En 4e année, les enfants possèdent en général la maturité cognitive suffisante pour recourir à l'infinitif du verbe dans le but de trouver certaines finales. Cette disposition du programme de 1979, fort judicieuse, doit être conservée, à mon avis. À la fin de l'année, les finales de tous les verbes ayant pour sujet un chef évident (pronoms personnels habituels) devraient donc être parfaitement maîtrisées. Quant aux finales de verbes ayant pour sujet un « chef caché » (groupe nominal ou sujet sous-entendu à l'impératif), il semble pertinent d'attendre la 5e année pour les déclarer terminales. Ce n'est pas tant que les élèves ne connaissent pas déjà bien toutes les principales finales de verbes, à la fin de la 4e année ; mais ils ont besoin d'un peu d'entraînement encore pour *repérer* ces verbes sans l'ombre d'une hésitation, dans leurs propres textes, afin d'y apposer la bonne finale.

Si l'on suit ces propositions, dès la fin de la 5e année, toutes les finales de verbes aux temps et modes principaux seront sues par cœur et vraisemblablement placées à bon escient en situation d'écriture, mais à la condition expresse de gagner du temps, en ne faisant allusion ni aux temps ni aux modes (encore moins aux groupes de verbes). Voilà à quoi pourrait aboutir une analyse grammaticale renouvelée, doublée d'une progression des cas beaucoup plus rigoureuse qu'auparavant. Le temps de classe ainsi gagné pourra être investi avantageusement dans l'apprentissage de plusieurs autres cas, tel l'accord du participe passé avec *avoir*, repoussés au secondaire dans le programme de 1979.

Les pronoms : concept et accord

Ce n'est un secret pour personne : les enfants oublient souvent le -*nt* à la fin d'un verbe pluriel. Cette faute découle le plus souvent du fait qu'ils n'ont pas écrit au pluriel les pronoms *ils* ou *elles*. Ils écriront, par exemple : *Mes amis sont venus hier ; il m'invite* (sic), ou encore, *il veule* (sic). Pas étonnant alors qu'ils mettent la mauvaise finale au verbe. Or, il me semble qu'on n'a pas insisté suffisamment en classe, jusqu'à présent, sur ce problème très réel des jeunes scripteurs.

À mon avis, ce qu'il faudrait, dès le départ en 3e année, c'est conditionner l'enfant à ce que sonne immédiatement dans sa tête une double alarme quand il écrit les mots *il(s)* et *elle(s)*. La première, pour qu'il s'interroge aussitôt : « Attention ! Dois-je mettre un -*s* ou non au mot *il* dans *il(?) m'invite…?* » La seconde, pour qu'il se dise : « Attention ! *Ils* est un chef

de verbe! Je dois donc penser à mettre la bonne finale au
verbe qui lui obéit. » Je le répète : le problème de l'élève ne
relève généralement pas d'une méconnaissance de la règle,
mais plutôt du fait qu'aucun signal ne le met en état d'alerte
pour qu'il applique la règle à bon escient.

Ceci nous amène à nous poser la question suivante : doit-
on enseigner explicitement la notion de pronom, en orthographe grammaticale? Certes, pour un spécialiste de la langue
française, ce concept est important; un usager, pour sa part,
en a-t-il également besoin? Ce n'est pas parce qu'une notion
grammaticale existe qu'on doit obligatoirement l'enseigner
aux élèves; avant de prendre une décision, on doit d'abord
se convaincre que le concept leur est *utile*. C'est à cette
condition seulement qu'il sera efficace.

À l'analyse, le concept de pronom ne joue aucun rôle en
termes d'orthographe d'accord du verbe. En 3ᵉ année, ce qui
est important, c'est que l'élève retienne que les neuf mots
suivants constituent, toujours ou souvent selon le cas, des
chefs qui commandent au verbe : *je*, *tu*, *il/elle/on*, *nous*, *vous*
et *ils/elles*. C'est plutôt dans l'accord de l'adjectif (ou du
participe) en position d'attribut que le concept de pronom
sera utile, car l'enfant devra alors se demander si le pronom
je ou *tu*, par exemple, prend la place d'un nom féminin ou
masculin, ou encore si le pronom *vous* prend la place d'un
nom singulier ou pluriel. En ce qui concerne l'accord du
verbe, on peut sans doute mentionner que les neuf « chefs »
de verbes évidents s'appellent des pronoms, sans insister
davantage cependant sur la nature du pronom.

En 5ᵉ année, il serait opportun d'ajouter quelques pronoms
à la liste des « chefs de verbes évidents », dans le but de
préciser quels accords ils commandent. D'une part : *ce*, *ça*
et *cela* qui, bien que d'usage courant, sont rarement pris en
compte à l'école, dans l'enseignement de l'accord des verbes.

D'autre part : le pronom *celles* (employé fréquemment avant
le mot *qui*), qui viendra s'ajouter à *il(s)* et *elle(s)* parmi les
termes qui doivent déclencher une double alarme. Il serait
utile également de signaler que les pronoms personnels joints
au mot *même(s)* prennent un trait d'union et qu'ils prennent
la marque du pluriel, le cas échéant : *nous-mêmes, vous-
mêmes, eux-mêmes* et *elles-mêmes*; que, de la même façon,
dans les expressions *nous autres, vous autres* et *eux autres*,
le mot *autres* s'accorde au pluriel. Enfin, en 6e année, on
pourrait initier les élèves à l'accord du verbe avec les pronoms
moi et *toi*.

Quant au concept même de *pronom* (« mot qui prend la
place d'un nom, sauf le *il* impersonnel »), la 5e année est
peut-être le moment adéquat pour y initier les élèves, car ils
possèdent alors la maturité suffisante pour le comprendre sans
difficulté. Ce concept leur sera surtout utile dans l'accord des
adjectifs et participes, mais parfois aussi, en formulation,
comme solution de rechange permettant d'éviter de répéter
trop souvent le même nom.

Les homophones

En ce qui concerne l'enseignement des homophones, par
exemple *a/à, son/sont, on/ont*, etc., certains préconisent de
s'en tenir à un procédé de substitution (exemple : « quand on
peut substituer *avait* à *a*, le mot *a* ne prend pas d'accent
grave; autrement, il en prend un »); d'autres cependant pré-
fèrent faire appel au sémantisme. La solution la meilleure
semble résider dans la conjonction de ces deux approches.
Par exemple, pour les homophones *son/sont*, au lieu de se
contenter de fournir le mot de substitution *étaient*, on indi-

quera que le mot *son* placé devant un nom indique la possession, c'est-à-dire, en langage vulgarisé plus à la portée des
enfants, qu'il indique « si la chose dont on parle appartient *à
lui, à elle* (ou parfois *à soi*) »; quant au mot *sont*, c'est un
verbe quand on peut mettre *ils* ou *elles* devant.

Logiquement, si l'on procède ainsi, on devrait regrouper
dans le chapitre consacré aux verbes et aux pronoms tous les
homophones qui impliquent au moins un verbe ou un pronom.
C'est pourquoi, dans le modèle de grammaire nouvelle proposé ci-après, on retrouve dans ce chapitre-ci les homophones
*a/à, son/sont, on/ont, ma/m'a, ta/t'a, la/l'a/là, mon/m'ont,
ce/se* et *s'est/c'est/ses/ces*. Quant le couple d'homophones
implique en plus un terme relatif aux noms et aux déterminants, *son* par exemple dans le couple *son/sont*, ce couple se
retrouve, dans la grammaire proposée, à la fois dans le chapitre
des verbes et pronoms et dans celui des noms et déterminants.

Parmi tous les couples d'homophones cités dans le paragraphe précédent, l'un mérite une attention spéciale parce
qu'il présente une difficulté exceptionnelle : il s'agit du couple
d'homophones *se/ce*, pour lequel il n'existe pas de mot de
substitution unique, propre à solutionner tous les cas qui se
présentent. Voici des exemples de ces cas :

- J'irai chercher *ce* paquet demain.
- Il *se* prépare à nous recevoir.
- C'est *ce* qui *se* fait de mieux.
- *Ce* que je veux, c'est gagner.
- *Ce* sera très amusant.
- *Ce* sont de très belles pierres.
- Ils *se* sont désistés.
- Ils ne *se* le sont pas fait dire deux fois.
- *Ce* faisant, il s'est placé en très bonne position.

Dans le programme de 1979, les homophones *ce/se* ne
sont objet d'apprentissage qu'à partir de la 5e année. Est-ce

là un choix judicieux ? Par ailleurs, doit-on enseigner tous ces différents cas en même temps ou établir plutôt une progression des apprentissages en cette matière ? Pour trouver des éléments de réponse à ces questions, j'ai procédé à une analyse de corpus dont les résultats sont éclairants. J'ai analysé tous les homophones *se/ce* contenus dans les textes d'enfants présentés dans le recueil : *BIZZzz et Noiraud*, cité précédemment. Ce recueil, publié par le ministère de l'Éducation du Québec, offre une sélection des meilleurs textes des élèves de 6e année (21 textes) et de 3e année (11 textes), produits à la fin de l'année scolaire 1988.

L'analyse révèle ce qui suit. Sur les 156 homophones *ce* et *se* relevés au total, on compte :

- 114 *se*, placés devant un verbe ;
- 41 *ce*, placés devant un mot autre qu'un verbe ;
- 1 seul *ce* placé devant le verbe *être*, dans l'expression : *ce sera*.

On peut donc se demander si, dans un premier temps, au primaire, on ne pourrait pas se contenter d'expliquer aux élèves qu'en général le mot [se] placé devant un verbe s'écrit *se* ; qu'autrement, il s'écrit *ce*. On pourrait ajouter qu'il existe quelques exceptions qu'ils apprendront au secondaire. Si l'on acceptait cette proposition, on pourrait sans doute enseigner plus tôt ce cas d'homophones, dès la 4e année par exemple.

Pour terminer ce chapitre, voici maintenant le modèle de grammaire renouvelée que pourraient avoir en main des élèves de la 3e à la 6e année du primaire apprenant les différentes règles de la manière exposée ici. À mon avis, ces divers moyens conjugués devraient entraîner, à moyen terme, des résultats nettement supérieurs chez les élèves, en matière d'accord du verbe et du pronom.

Contenu d'un enseignement grammatical renouvelé

VERBES ET PRONOMS

NOTE : La mention (T) signifie que la connaissance indiquée devrait idéalement être terminale (c'est-à-dire en principe parfaitement maîtrisée dans un texte personnel, au primaire), à la fin du degré scolaire désigné par le chiffre qui suit ; un objectif idéalement terminal au secondaire est accompagné de la mention (T. sec.). Ces degrés sont suggérés par la nouvelle pédagogie grammaticale proposée. Quant aux mots écrits en majuscules, ils indiquent la terminologie traditionnelle qu'il est pertinent de conserver.

3ᵉ année

Repérage du sujet et du verbe

- Le VERBE prend des finales différentes selon le chef qui lui commande. Le chef du verbe s'appelle aussi le SUJET du verbe. (T3)

- Le chef qui commande au verbe est souvent évident : on le repère facilement dans la PHRASE, car c'est un des mots suivants : *je* (ou *j'*), *tu*, *il*, *elle*, *on*, *nous*, *vous*, *ils* et *elles*. On appelle aussi ces mots des PRONOMS. (T3)

- Une fois repéré un chef de verbe évident, par exemple *je* dans *je les avais perdus*, on se pose la question : « *je… quoi ?* » Le premier mot de la réponse après le chef est le verbe qui doit obéir à ce chef, si l'on exclut les petits mots qui ne comptent pas, comme *me, se, lui, le, la, les, ne, en,* etc. Donc ici, *je… quoi ? Je les avais perdus* : le mot *avais* est le verbe qui s'accorde, puisque le petit mot *les* ne compte pas. (T3)

● Les mots *ai*, *as*, *es*, *a* et *est* sont des verbes, dans les expressions *j'ai*, *tu as*, *tu es*, *il a*, *il est*, même si ce sont de petits mots. (T3)

● Les pronoms *nous*, *vous* et *elle(s)* ne sont pas toujours des chefs de verbes :

   ● Quand le mot *nous* est un chef de verbe, le verbe qui lui obéit finit ordinairement par le son [on]. Exemples : *nous avions*, *nous apporterons*, *nous pouvons*, *nous serions*, etc. (T3)
   Exception fréquente : *nous sommes*. (T3)

   ● Quand le mot *vous* est un chef de verbe, le verbe qui lui obéit finit ordinairement par le son [é]. Exemples : *vous avez*, *vous arriverez*, *vous regardiez*, *vous pourriez*, etc. (T3) Exceptions fréquentes : *vous êtes*, *vous dites*, *vous faites*. (T3)

   ● Le mot *elle(s)* est un chef de verbe chaque fois qu'on peut le remplacer par *il(s)*. Exemples : *Elle fait ses devoirs*. On peut dire : *il fait ses devoirs*. *Il y a un piano chez elle*. On ne peut pas dire : *il y a un piano chez il*! (T4)

Accord du verbe

Finales des verbes avec *je* (ou *j'*)

● Si le verbe finit par le son [é], la finale est *-ai*, sauf *je sais*. Exemples : *j'ai*, *j'irai*, *j'écrirai*. (T3)

● Si le verbe finit par le son [è], la finale est *-ais*. Exemples : *j'étais*, *je fais*, *j'irais*, *je vais*, *je lisais*, *j'aimerais*. (T3) Exceptions fréquentes : je *mets*, je *remets*, je *promets*. (T4)

● Si le verbe ne finit ni par le son [é], ni par le son [è], la finale est *-e* ou *-s*, mais jamais *-es*. Exemples : *je mange*, *j'appelle*, *je suis*, *je regarde*, *je viens*, *je lis*, *je surveille*. (T3)

[NOTE : *C'est en 4ᵉ année que l'élève apprend quand exactement mettre* -e *ou* -s *; en attendant, on l'initie simplement à* *éliminer toute finale autre que celles mentionnées ici. À la fin de l'année, il ne devrait donc plus écrire, par exemple :* je sui, je surveil, j'appel, *ni* j'écries, je pleures *(sic), etc.*]

● Exceptions : je *peux*, je *veux*. (T3)

Finales des verbes avec *tu*

● Si le verbe finit par le son [è], la finale est -*ais*. Exemples : *tu fais, tu avais, tu étais, tu connais, tu gagnerais, tu soustrais, tu sortirais.* (T3)
Exceptions fréquentes : tu *es*, tu *mets*, tu *remets*, tu *promets.* (T4)

● Si le verbe finit par un son autre, la finale est -*s*. Exemples : *tu as, tu dois, tu sens, tu sers, tu feras, tu finis, tu demandes, tu dors, tu regardes.* (T3)

● Exceptions : tu *peux*, tu *veux.* (T3)

Finales des verbes avec *il/elle/on*

● Si le verbe finit par le son [a], la finale est -*a*. Exemples : *il a, elle choisira, on placera, elle va.* (T3)
Exception fréquente : il (ou elle ou on) *bat.* (T4)

● Si le verbe finit par le son [è], la finale est -*ait*. Exemples : *elle avait, il rêvait, on boirait, il ouvrait, elle disait, on partirait, elle fait.* (T3)
Exceptions fréquentes : il (ou elle ou on) *est, met, remet, promet.* (T4)

Finale des verbes avec *nous*

● La finale est toujours -*s*. Exemples : *nous voulons, nous arrêterons, nous sortions, nous sommes.* (T3)

Finales des verbes avec *vous*

● Si le verbe finit par le son [é], la finale est -*ez*. Exemples : *vous lavez, vous sautiez, vous marcherez.* (T3)

● Si le verbe finit par un son autre, la finale est *-s*. Exemples : *vous êtes, vous dites, vous faites*. (T3)

Finales des verbes avec *ils/elles*

● Si le verbe finit par le son [on], on ajoute un *-t*, car les trois lettres finales sont toujours *-ont*. Exemples : *ils feront, elles font, ils vont, elles sauront*. (T4)

● Si le verbe finit par le son [è], les cinq lettres finales sont toujours *-aient*. Exemples : *elles chantaient, ils soustraient, elles mettaient, ils placeraient, elles connaissaient, ils auraient*. (T4)

● Si le verbe finit par un son autre, les trois lettres finales sont toujours *-ent*. Exemples : *ils aiment, elles étudient, ils placent, elles jouent*. (T4)

Accord du pronom

● Les pronoms *il* et *elle* prennent un *-s* au PLURIEL. Pour bien accorder le verbe qui obéit aux chefs *il(s)* ou *elle(s)*, on doit donc toujours se demander d'abord si on doit écrire *il* ou *ils*, *elle* ou *elles*. (T4)

Homophones

● Si le mot [a] est un verbe qui a pour chef *il, elle* ou *on*, il peut être alors remplacé par *avait*, et on écrit *a*; s'il a pour chef *tu*, on écrit *as*; autrement, on écrit *à*. (T4)

● Si le mot [on] a pour chef *ils* ou *elles* et peut être remplacé par *avaient*, on écrit *ont*; autrement, on écrit *on*. (T4)

● Si le mot [son] a pour chef *ils* ou *elles* et peut être remplacé par *étaient*, on écrit *sont*; autrement, on écrit *son*. (T4)

Phrase négative

● Chaque fois qu'on peut faire « non » de la tête en écrivant un verbe, on fait précéder ce verbe du mot *ne* (ou *n'*) à l'écrit, même si souvent on ne prononce pas ce *ne* (ou *n'*) à l'oral. Exemples : *Je ne sais pas*; *il ne pourra pas venir*. (T4)

Phénomène particulier

● Si le chef évident du verbe, c'est-à-dire le pronom, est placé juste après ce verbe, on joint les deux mots par un trait d'union. Exemples : *Jouais-tu?*, *dit-il*. (T4)

4ᵉ année

Repérage du sujet et du verbe

● Parfois, le chef qui commande au verbe n'est pas évident, c'est-à-dire qu'il n'est pas l'un des pronoms habituels *je*, *tu*, *il*, etc., faciles à trouver. Le verbe a alors un chef caché, plus difficile à repérer. (T4)

● Parfois, le chef caché du verbe est sous-entendu. C'est le cas des verbes qui servent à donner des ordres ou des conseils. Ces verbes ont pour sujets sous-entendus *toi*, *nous autres*, *vous* ou *vous autres*. On devine ce chef caché d'après le sens. Exemples : *Commence. Partons. Levez la main ceux qui y vont. Entrez, s'il vous plaît, monsieur*. (T5)

● Quand le chef du verbe est caché (et que le verbe ne sert pas à donner un ordre ni un conseil), voici comment procéder : 1º On trouve d'abord le verbe. C'est assez facile : c'est le mot qui se dit bien après *il(s)* ou *elle(s)*. Par exemple, dans la phrase : *Leur cousin Marc joue du piano*, c'est devant le mot *joue* qu'on peut dire *il(s)*, et non devant *leur*, ou *cousin*, ou

Marc. Joue est donc le verbe à accorder. 2° On se pose alors la question : *Qui est-ce qui...?* (ou *qu'est-ce qui...?*) pour en trouver le chef caché. Exemple : *Qui est-ce qui joue du piano? Leur cousin Marc.* Ce sujet peut être remplacé par *il.* On accorde donc le verbe comme s'il était commandé par *il.* (T5)

● Dans cette recherche du verbe au chef caché, il faut faire attention aux mots « à deux faces », qui sont tantôt noms, tantôt verbes, comme le mot *porte.* On doit se demander alors si, dans le contexte, il s'agit du mot devant lequel on peut mettre *un* ou *une*, ou encore du verbe devant lequel on peut mettre *il(s)* ou *elle(s).* (T5)

Accord du verbe

● Le verbe s'écrit parfois comme on le trouve dans le dictionnaire : dans ce cas, il n'obéit pas à un chef. On le reconnaît au fait qu'il se dit bien après *il va.* (T4)

● Pour savoir si le verbe qui finit par le son [é] s'écrit comme on le trouve dans le dictionnaire, on le remplace par les mots *bâtir/ bâti*; si *bâtir* convient, on écrit la finale *-er*; si *bâti* convient, on écrit *-é.* Si ni l'un ni l'autre ne convient, on écrit *-ez.* (T4)

● Avant d'appliquer le truc *bâtir/bâti*, on doit d'abord décider à quels mots en [é] l'appliquer. C'est simple : ce sont tous les mots du texte qu'on peut dire après *il va* (après s'être assuré que ce ne sont pas des noms). Exemples :

• Dans la phrase : *J'irai chercher les clés qu'il a apportées*, on ne peut pas dire *il va irai*, ni *il va clés*; on n'y applique donc pas le truc *bâtir/bâti.* Par contre, on l'applique aux mots *chercher* et *apportées*, car on peut dire *il va chercher* et *il va apporter* (l'accord de *apportées* concerne le chapitre des adjectifs). (T4)

• Dans la phrase : *Appelez vos amis*, on peut dire *il va appeler*, mais comme on ne peut pas dire : *bâtir vos amis*, ni *bâti vos amis*, on inscrit alors *-ez.* Même raisonnement pour : *vous le placez là.* (T5)

* Dans la phrase : *Elle a complété son résumé*, on peut dire *il va compléter* et *il va résumer*. Mais en vérifiant rapidement, on se rend compte qu'il s'agit ici d'*un résumé* : ce mot est donc un nom. On n'y applique pas le truc *bâtir/bâti*. (T5)

● Pour trouver certaines finales de verbes avec *je* et avec *il/elle/ on*, on doit d'abord trouver l'INFINITIF du verbe, c'est-à-dire le nom du verbe tel qu'on le trouve dans le dictionnaire. Pour trouver ce nom, il suffit de dire le verbe après *il va* (ou, si on préfère, après *je vais* pour les verbes avec *je*). (T4)

Finales des verbes avec *je* (ou *j'*)

● Si le verbe ne finit ni par le son [é], ni par le son [è] :

* La finale est -*e*, si le nom du verbe est en -*er*. Exemples : *je mange, j'étudie, je plie, je joue.* (T4)

* La finale est -*s*, dans les autres cas, sauf *je peux, je veux*. Exemples : *je cours, je dors, je choisis.* (T4)

* La finale n'est jamais -*es*; donc avec les verbes d'exception *j'ouvre, je découvre, je souffre, j'offre, je cueille*, et dérivés, on est forcé de mettre un -*e*, car autrement on obtiendrait des « folies » comme : *je souffrs, j'offrs* (sic), finales inusitées en français. (T4)

● Parmi les verbes qui finissent par le son [è] et ne se terminent pas par -*ais*, il y a : *j'essaie.* (T6)

Finales des verbes avec *il/elle/on*

● Si le verbe ne finit ni par le son [a], ni par le son [è] :

* La finale est -*e*, si le nom du verbe est en -*er*. Exemples : *il loue, elle distribue, on remercie.* (T4)

* La finale est -*d*, si le nom du verbe est en -*dre*. Exemples : *il mord, elle prend, on coud.* (T4)
Exceptions : les verbes en -*indre* prennent un -*t*. Exemples : *il éteint, elle craint, on rejoint.* (T6)

- La finale est -*t* dans les autres cas. Exemples : *il rit*, *elle court*, *on tient*. (T4)

  Les verbes *ouvre*, *découvre*, *souffre*, *offre*, *cueille*, et dérivés, font exception, car l'ajout d'un -*t* donnerait alors le son [è] au lieu de [e] : *il ouvret*, *il souffret* (sic) ou encore des « folies » comme : *il ouvrt*, *il souffrt* (sic)! On met donc un -*e*. (T4)

Verbes au chef sous-entendu : *toi*

- Si le verbe sert à donner un ordre ou un conseil et si le chef sous-entendu est *toi* :

  - La finale est -*e*, si le nom du verbe est en -*er*, sauf *va*. (T5)

  - La finale est -*s*, dans les autres cas. (T4)

  - La finale n'est jamais -*es*; donc avec les verbes d'exception *ouvre*, *découvre*, *souffre*, *offre*, *cueille*, et dérivés, de même que *sache*, on est forcé de mettre -*e*, pour éviter des « folies » du type : *ouvrs* ou *sachs* (sic)! (T4)

Verbes au chef sous-entendu : *nous autres*

- Ces verbes finissent tous par le son [on] et se terminent par -*s* comme tous les verbes habituels avec *nous*. (T4)

Verbes au chef sous-entendu : *vous* ou *vous autres*

- Ces verbes finissent de la même façon que les verbes avec *vous*, soit par -*ez*, soit par -*s*. (T4)

Finales des verbes au chef pouvant être remplacé par *il(s)* ou *elle(s)*

- On trouve d'abord le verbe : c'est le mot devant lequel on peut dire *il(s)* ou *elle(s)*; puis on trouve son chef caché à l'aide des questions : *qui est-ce qui…?* ou *qu'est-ce qui…?* (T5)

  - Si ce chef peut être remplacé par *il* ou *elle*, le verbe s'accorde comme quand il est commandé par *il/elle/on*. (T5)

- Si ce chef peut être remplacé par *ils* ou *elles*, le verbe s'accorde comme quand il est commandé par *ils/elles*. (T5)

Homophones

● Pour les mots-pièges ou HOMOPHONES *a/à*, un cas s'ajoute à la règle déjà connue : si le mot [a] n'a pas pour chef *il*, *elle* ou *on*, mais bien un chef qu'on peut remplacer par *il* ou *elle*, et si on peut y substituer le mot *avait*, on écrit *a*. (T4).

● Si on peut remplacer [ma], [ta] ou [la] par *m'avait*, *t'avait* ou *l'avait*, le son [a] est le verbe qui obéit au chef *il*, *elle* ou *on*, ou encore à un chef qu'on peut remplacer par *il* ou *elle*; ces mots prennent alors une APOSTROPHE : *m'a*, *t'a*, *l'a*. Si le mot *là* désigne un lieu ou quelque chose qu'on peut montrer, il prend un ACCENT GRAVE. Autrement, ces mots s'écrivent *ma*, *ta* et *la*. (T6)

● Si on peut remplacer [mon] et [ton] par *m'avaient* et *t'avaient*, le son [on] est le verbe qui obéit au chef *ils* ou *elles*, ou encore à un chef qu'on peut remplacer par *ils* ou *elles*; ces mots prennent alors une apostrophe : *m'ont*, *t'ont*. Autrement, on écrit *mon* et *ton*. (T6)

● Si le mot [peu] est précédé de *je* ou *tu*, il s'écrit *peux*; si on peut mettre devant *il* ou *elle*, il s'écrit *peut*; autrement, il s'écrit *peu*. (T5)

● Avec les mots-pièges *se/ce*, il est difficile de choisir chaque fois le bon mot. Pour l'instant, on peut suivre la règle suivante, même si elle ne solutionne pas tous les cas :

  - Quand le mot-piège n'est pas devant un verbe, on écrit *ce*. Exemples : *ce* plat, *ce* que j'aime, *ce* qui arrive. (T5)

  - Quand il est devant un verbe, on écrit généralement *se*. Exemples : elle *se* lave; il faut *se* lever de bonne heure demain. (T5)

Phrase négative

● Quand on met le mot *ne* ou *n'* devant un verbe et qu'on peut faire « non » de la tête en lisant ce verbe, on appelle la phrase une PHRASE NÉGATIVE. (T4)

5ᵉ année

Repérage du sujet et du verbe

● Les chefs ou sujets évidents *je*, *tu*, *il*, *elle*, *on*, *nous*, *vous*, *ils* et *elles* s'appellent des pronoms, car ils tiennent la place d'un nom (sauf le *il* impersonnel). (T5)

● D'autres pronoms sont aussi parfois des sujets évidents :

  • *ça*, *cela*, *c'* et *ce* (souvent suivi de *qui*) : le verbe s'accorde comme avec *il*; (T5)

  • *eux* : le verbe s'accorde comme avec *ils*. (T5)

● Il faut faire attention aux faux chefs *nous* et *vous*, dans des phrases comme : *Nos amis nous appelleront* et *je vous dirai*. En se posant la question : *Qui est-ce qui?* ou *Qu'est-ce qui?*, on trouve le vrai chef du verbe, ici *nos amis* et *je*. (T5)

● Attention! Le mot *les* n'est *jamais* un chef de verbe. Dans une phrase comme : *Je les aime*, le verbe *aime* ne s'accorde donc pas avec *les* mais bien avec *je*. (T5)

● Le verbe a parfois un chef (ou sujet) trompeur :

  • Un nom singulier qui représente plusieurs personnes, plusieurs animaux, etc. Exemples : *le groupe*, *notre classe*, *le troupeau*, etc. Comme ces mots peuvent être remplacés par *il* ou *elle*, le verbe qui les suit s'accorde comme avec les sujets *il* ou *elle*. Exemples : Le groupe s'en *va*. Notre classe *applaudit*. Le troupeau *broute*. C'est pourquoi on doit écrire : *le monde est*, jamais *le monde sont* (sic). (T6)

- Plusieurs noms singuliers qui commandent au même verbe. Exemples : Sylvie et Michel; Claudine et Chantal. Comme ces mots peuvent être remplacés par *ils* ou *elles*, le verbe qui les suit s'accorde comme avec les sujets *ils* ou *elles*. Exemples : Sylvie et Michel (*ils*) *arrivent* demain. Claudine et Chantal (*elles*) *jouent* du piano. (T5)

Accord du verbe

Finales des verbes avec *je* (ou *j'*)

- À l'exception du verbe *battre* et de ses dérivés qui font *je bats*, *je combats*, etc., les verbes avec *je* ne finissent jamais par le son [a]. On ne doit donc pas écrire *je vas*, mais bien *je vais*. (T5)

Finales des verbes avec *je* et *tu*

- Exceptions rares : les verbes *je vaux* et *tu vaux* prennent un -*x*. (T5)

Accord du pronom

- Le mot *celle* prend un -*s* au pluriel. (T5)

- Dans les expressions *nous autres*, *vous autres* et *eux autres*, le mot *autres* prend toujours un -*s*. (T5)

- Quand le mot *même* suit les pronoms *nous*, *vous*, *eux* et *elles*, il s'accorde au pluriel et est joint au pronom par un trait d'union : *nous-mêmes*, *vous-mêmes*, *eux-mêmes* et *elles-mêmes*. (T5)

Homophones

- Avec le couple d'homophones *se/ce*, il est difficile de choisir chaque fois le bon mot. On sait déjà que lorsque le mot-piège n'est pas devant un verbe, on écrit généralement *ce* (exemples : *ce* plat, *ce* que j'aime, *ce* qui arrive) et que, lorsqu'il est devant un verbe, on écrit généralement *se* (exemples : elle *se* lave; il faut *se* lever de bonne heure demain). (T5)

  - Cependant, quand le mot-piège est devant un verbe et signifie *cela*, on écrit *ce*. Exemples : *Ce sera une belle fête. Ce serait formidable s'il venait.* (T. sec.)

- Parmi les homophones *c'est/s'est/ses/ces*, il est difficile de choisir le bon mot. Si l'homophone peut être remplacé par *cela est* ou *ce n'est pas*, il s'écrit : *c'est*. Si on peut mettre devant *il/elle/on*, il s'écrit *s'est*. Si le mot sert de signal de pluriel devant un nom, il s'écrit *ses*, s'il signifie *à lui, à elle* ou *à soi*, et *ces*, si on peut dire *-là* après le nom. (T6)

Phénomène particulier

- On emploie parfois à tort *qui* au lieu de *qu'il* (ou *qu'ils*). Comment savoir quand employer l'un ou l'autre? C'est là une règle assez difficile. Pour l'instant, on peut se contenter de suivre la règle simple suivante : chaque fois qu'on écrit *qui*, on tente de le remplacer par *qu'il* (ou *qu'ils*). Si la substitution est possible, on écrit *qu'il* (ou *qu'ils*). Autrement, on laisse le mot *qui*. Exemples : Dans l'expression *je veux qui vienne* (sic), *qui* peut être remplacé par *qu'il*. On écrit donc *qu'il* (et on l'accorde au pluriel au besoin : *qu'ils viennent*). Dans l'expression : *ceux qui veulent venir, levez la main*, on ne peut pas remplacer *qui* par *qu'ils*, donc on laisse *qui*. (T. sec.)

Phrase négative

- En ce qui concerne les homophones *on/on n'*, voici comment choisir l'un ou l'autre. Si on peut faire « non » de la tête en lisant le verbe, la phrase est négative et on écrit *on n'*. Exemples : *On n'*en a pas (on peut faire « non » de la tête); *on* arrivera à trois heures (on ne peut pas faire « non » de la tête, donc pas de *n'*). (T5)

- On écrit un seul *n'* de négation, jamais deux. Ainsi, on n'écrira pas : on *n'*en *n'*a pas, mais bien : on *n'*en a pas. (T5)

6ᵉ année

Conjugaison

- Définition du verbe : c'est un mot qui peut SE CONJUGUER à divers TEMPS et à divers MODES. (T6)

- À partir de tableaux de conjugaison, on reconnaît le verbe aux principaux temps : PRÉSENT, IMPARFAIT, TEMPS COMPOSÉS et FUTUR SIMPLE, et aux principaux modes : CONDITIONNEL, IMPÉRATIF, INFINITIF, PARTICIPE. (T6)

- Dans les temps composés, deux mots s'associent pour former le verbe à un temps passé : l'AUXILIAIRE (qui veut dire *aide*) et le PARTICIPE PASSÉ. Celui-ci est ainsi appelé parce qu'il *participe*, avec l'aide de l'auxiliaire, à la formation d'un verbe à un temps passé. Le verbe *avoir* suivi d'un participe passé est appelé AUXILIAIRE AVOIR. Exemple : *il a acheté* a le sens de : *avoir* acheté. Le verbe *avoir* suivi du mot *été* et d'un participe passé n'est pas un auxiliaire *avoir*, mais plutôt un AUXILIAIRE ÊTRE. Exemple : *il a été acheté* a le sens de *être* acheté. (T6)

- Le VERBE PRONOMINAL est un verbe qui est toujours accompagné de deux mots qui désignent le même être, la même réalité (ou les mêmes êtres, les mêmes réalités). Exemples : *Je me lève* : je et *me* désignent tous deux *moi*. *La peinture s'écaille* :

la peinture et *s'* désignent tous deux *elle*. *Ils se plaisent* : *ils* et *se* désignent tous deux *eux*. (T6)

Repérage du sujet

● Les pronoms *moi* et *toi* sont parfois des sujets évidents ; ils sont alors souvent suivis de *qui*. Le verbe qui leur obéit s'accorde comme avec *je* et *tu*. (T. sec.)

Accord du verbe

La connaissance de la conjugaison est utile, entre autres, dans les cas suivants :

● Le son [è] à la fin des verbes s'écrit *-ais* avec *je* et *tu*, et *-ait* avec *il/elle/on*. Il existe cependant quelques exceptions, dont les suivantes :

  • Le verbe *mettre* et ses dérivés *au présent* prennent *-ets* avec *je* et *tu*, et *-et* avec *il/elle/on*. Exemples : *je soumets*, *tu omets*, *il admet*. (T6)

  • Le verbe *vêtir* et ses dérivés *au présent* prennent *-êts* avec *je* et *tu*, et *-êt* avec *il/elle/on*. Exemples : *je vêts*, *tu revêts*, *il revêt*. (T6)

  • Les verbes en *-ayer au présent* s'écrivent *-aie* avec *je* et *il/elle/on*, et *aies* avec *tu*. Exemples : *j'essaie*, *il balaie*, *tu paies*. (T6)

● *Au présent*, les verbes avec *tu* en *-er* (sauf *aller*) gardent toujours le *-e* avant le *-s*, même quand on ne prononce pas ce *-e*. Exemples : *tu cries*, *tu joues*, *tu envoies*. (T6)

● *Au présent*, les verbes avec *je* et *tu* en *-dre* gardent toujours le *-d* de l'infinitif, sauf les verbes en *-indre*, (T6), de même que trois verbes en *-soudre* : *dissoudre*, *résoudre* et *absoudre* : *je résous*, *tu dissous*, *tu absous*. (T. sec.)

● Après *si* : en général, emploi de l'*imparfait*. Exemple : *Si j'étais capable, je le ferais*. (T6)

● Particularité de certains verbes au *futur* et au *conditionnel* : les verbes en *-er* (sauf *aller*, de même que *envoyer* et ses dérivés) conservent toujours toutes les lettres de l'infinitif avant qu'on y ajoute la finale. Cela est évident quand on prononce le *-e* de la finale de l'infinitif en *-er* : *j'aimer*ai, tu *apporter*ais. Mais on doit garder le *-e*, même quand on ne le prononce pas : je *crier*ai, il *louer*ait. (T6)

● Le *passé simple*, temps du récit, ne s'utilise pas à l'oral. En revanche, on le lit souvent, et ce, surtout à la 3e personne du singulier qui nous est donc plus familière que les autres. Pour bien écrire un verbe au passé simple, il suffit de se référer au tableau suivant, en appliquant le petit truc que voici : on dit d'abord le verbe avec *il*.

• Par exemple, on veut écrire : *nous* + le verbe *chanter*; en se fiant au tableau, doit-on écrire : nous *chantâmes*, nous *chantîmes* ou nous *chantûmes*? Il est possible qu'on l'ignore. On le dit donc d'abord avec *il*. Qu'est-ce qui paraît le plus familier : il *chanta*, il *chantit* ou il *chantut*? *Il chanta*, bien sûr. On choisit donc la colonne des *a* et on écrit *nous chantâmes*.

	a	**i**	**u**
je	-ai	-is	-us
tu	-as	-is	-us
il	-a	-it	-ut
nous	-âmes	-îmes	-ûmes
vous	-âtes	-îtes	-ûtes
ils	-èrent	-irent	-urent

• Si on n'est pas sûr de la colonne à choisir, on consulte un ouvrage de conjugaisons. Notons que les verbes *venir*, *tenir*, et dérivés, prennent un *-n* après le *-i* pour correspondre au son [in] qu'on prononce : il *tint*, ils *vinrent*. (T. sec.)

● Variante d'application du truc *bâtir/bâti* : comme certains verbes au passé simple avec *je* (exemples : je *passai*, je *retournai*) se disent après *il va* (*il va* passer, *il va* retourner), mais se terminent par *-ai* et non par *-er*, on vérifie toujours *d'abord*, avant d'appliquer le truc *bâtir/bâti*, les verbes avec *je* qui finissent par le son [é] ; ensuite seulement applique-t-on le truc aux autres mots en [é] devant lesquels on peut dire *il va*, et qui ne sont pas des noms. (T6)

Homophones

● Quand les homophones *se/ce* se trouvent devant le mot *sont*, on se demande si on peut mettre *ils* devant. Si oui, on écrit *se* ; autrement, on écrit *ce*. Exemples : *Mes parents se sont acheté une voiture* (on peut dire : *ils se sont*). *Ce sont de très belles fleurs* (on ne peut pas dire : *ils se sont de très belles fleurs*). (T. sec.)

Phénomènes particuliers

● Quand un verbe a plusieurs sujets de DIFFÉRENTES PERSONNES, la première personne l'emporte sur la deuxième, et la première et la deuxième sur la troisième. Selon le cas, le verbe s'accorde alors comme avec *nous* ou avec *vous*. Exemples : *Toi et moi croyons qu'il a raison. Pierre et toi pensez que c'est possible. Claudine et moi irons au cinéma demain.* (T. sec.)

● On met un *-s* à l'impératif quand une voyelle rencontre les mots *en* et *y* : *vas-y*, *parles-en*, car c'est plus joli à l'oreille. (T. sec.)

● On met un *-t-* entre le verbe inversé et le sujet quand deux voyelles se rencontrent : *a-t-il*, *arrive-t-il*, *va-t-il*, etc., car c'est plus joli à l'oreille. (T6)

Aperçu des cas à traiter au secondaire

- Pronoms indéfinis sujets : *on*, *aucun*, *personne*, *nul*, etc.

- Accord du mot *leur* : quand le mot [leur] accompagne soit un déterminant pluriel [exemples : *les leurs*, *tous leurs* (déterminant avant) ou encore : *ils ont fait leurs ces conseils* (déterminant après)], soit un nom pluriel (*leurs oreilles*, *leurs parents*), il s'accorde au pluriel. Autrement, il reste toujours invariable : ils *leur* ont obéi.

- Accord des pronoms *lesquels*, *laquelle* et *lesquelles*.

- Accord du verbe avec des sujets du type : *ni l'un ni l'autre* (ne viendra ou ne viendront); *une foule de soldats* (arriva ou arrivèrent); *il* impersonnel (*il tombe* de gros flocons), etc.

- Verbes au subjonctif : accord et emploi (on emploie ce mode quand, à la 3ᵉ personne du singulier, on peut substituer le verbe *suive*, plutôt que *suit*).

- Le verbe *vaincre* et ses dérivés font *il vainc*, *il convainc* au présent.

3

Accord du nom
et de certains déterminants

OBJECTIF À ATTEINDRE

On considérera que l'enseignement grammatical a réussi si, à la fin du primaire, l'élève place à bon escient, dans ses textes, un -*s* ou un -*x* aux noms pluriels qui appellent ces finales; s'il ajoute à bon escient un -*e* muet à certains noms féminins; s'il accorde sans faute au féminin le déterminant *quelle*, au pluriel le mot *mêmes* précédé d'un déterminant pluriel (*les mêmes*, *vos mêmes*, etc.), les mots *tous* et *toutes* suivis d'un déterminant pluriel (*tous mes*, *toutes nos*, etc.), de même que les mots suivants quand ils ont un sens pluriel : *aux*, *certains/certaines*, *d'autres*, *différents/différentes*, *leurs*, *quels/quelles* et *quelques*.

Les règles de formation du pluriel

Parmi les cas qui monopolisent présentement une part non négligeable des heures consacrées à l'accord du nom, les règles de formation du féminin et du pluriel occupent une place de choix. Au point de laisser l'impression aux élèves que l'accord du nom est un cas complexe, impliquant de multiples connaissances disparates. Or, il n'en est rien. Les règles à appliquer sont extrêmement simples : on ajoute un

-*s* ou un -*x* aux noms pluriels, s'ils ne finissent pas déjà par
-*s*, -*x* ou -*z* ; par ailleurs, on ajoute très occasionnellement un
-*e* muet aux noms féminins. C'est tout.

Quant aux règles de formation du pluriel en -*aux*, elles
n'ont pas leur place en orthographe grammaticale. En ce qui
concerne les noms, il existe tant d'exceptions en -*als* (*bals*,
carnavals, *chacals*, *festivals*, *récitals*, etc.) et en -*ails* (*chandails*, *détails*, *épouvantails*, *éventails*, *gouvernails*, *rails*, etc.)
qu'enseigner une règle ne rime à rien[1]. C'est *à l'oral* qu'il
convient de traiter ces noms, idéalement sous mode de jeux,
en misant sur ce qui est déjà su par les enfants. Voici, à titre
d'exemple, une façon de procéder.

On dit aux élèves, en considérant cette connaissance
comme acquise : « *Vous savez déjà que* certains mots en -*al*
et en -*ail* font -*aux* au pluriel, comme *chevaux* ou *travaux*,
mais que d'autres gardent le son [al] et [ail], comme *carnavals*
ou *chandails*. Comment diriez-vous au pluriel les mots suivants...? » On inscrit alors au tableau une série de mots en
-*al* et en -*ail* : *orignal*, *corail*, *mail*, *hôpital*, etc. On demande
aux enfants de mémoriser pour chacun le couple singulier/
pluriel. Quelques jours plus tard, ayant effacé les mots, on
propose une joute au cours de laquelle on lance un terme
singulier en -*al* ou en -*ail*, les élèves interrogés devant fournir
le terme pluriel le plus rapidement possible, dans le but d'ancrer peu à peu l'usage juste du mot *à l'oral*.

Car, chose certaine, tant que l'enfant *dit* régulièrement
des chevals (sic) par exemple, on ne peut jurer qu'il emploiera
le terme juste à l'écrit. C'est seulement s'il prend conscience
qu'il doit modifier l'usage de certains mots qu'il s'améliorera,
aussi bien à l'oral qu'à l'écrit.

---

1. Le problème se pose différemment en ce qui concerne les adjectifs formant des couples
-*al*/-*aux*, la règle présentant alors une régularité beaucoup plus grande.

Parallèlement à de tels jeux à l'oral, il convient d'enseigner aux élèves une règle d'orthographe *d'usage* qui leur sera utile toute leur vie durant : « Chaque fois qu'un mot forme un couple *-al/-aux* ou *-ail/-aux*, le son [o] s'écrit toujours de la même façon : *-au*, et non *-ô*, *-ot*, *-o*, etc. ; il ne s'écrit *jamais -eau*. Ainsi corrigera-t-on peut-être plus sûrement la faute, tenace chez plusieurs, qui consiste à écrire, par exemple : *des journeaux* (sic).

Lorsqu'on aborde les leçons d'orthographe grammaticale, on tient donc pour acquis que l'élève sait déjà comment dire correctement le mot pluriel et, le cas échéant, à l'aide de quelles lettres rendre le son [o] ; on se préoccupe alors uniquement de *la marque finale du pluriel*, c'est-à-dire *-x*, comme pour tous les noms en *-au* (sauf *landau* et *sarrau*). Si d'aventure un enfant écrit *des orignals* (sic), on se garde bien de lui dire qu'il a commis une faute d'accord, car ce n'est pas le cas, puisqu'il a mis un *-s*. On le reprend *à l'oral* sur la forme juste du pluriel.

Les règles de formation du féminin autre qu'en *-e* muet

Les innombrables règles de formation du féminin : voilà sans doute un des points qui monopolise le plus grand nombre d'heures inutiles consacrées à l'enseignement de l'orthographe grammaticale ! Depuis des générations, on enseigne aux enfants, comme s'ils ne le savaient pas déjà fort bien, que *fermier* fait *fermière* au féminin, que *veuf* fait *veuve* et que *acteur* fait *actrice*. Alors qu'il suffirait de considérer comme acquises la majorité de ces connaissances, se contentant, ici et là, de fournir la forme juste à un élève qui hésite ou se trompe (par exemple : « On ne dit pas *aviateuse*, on dit *aviatrice* ») ; ou encore de discuter avec les enfants, durant le cours d'oral, de la forme qui semble la mieux attestée par l'usage dans les cas litigieux de féminisation des titres (par exemple : « Doit-on dire *autrice, auteuse, auteure*? *factrice* ou *facteure*? etc. »).

Malheureusement, l'approche qui prévaut depuis toujours empêche de faire *la* chose pertinente qui permettrait aux élèves de mieux orthographier : les doter de règles d'orthographe *d'usage* pour chacun des couples de mots en question. Par exemple : « Chaque fois qu'un mot forme un couple *-er/-ère*, la finale du masculin s'écrit *-er* et non *-é* ou *-ai*, et celle du féminin, *-ère* et non *-erre* ou *-aire* »; et ainsi de suite pour les mots formant des couples *-eux/-euse*, *-teur/-trice*, etc. On a été si obnubilé jusqu'à présent par la finale du féminin, qu'on ne s'est même pas rendu compte que, dans la plupart de ces cas, la finale du masculin était tout aussi problématique en orthographe que celle du féminin, parfois plus !

Un mot maintenant de cette variante des règles de formation du féminin qui accapare inutilement aussi les heures consacrées à l'orthographe grammaticale : les termes désignant des personnes ou des animaux aux masculin et féminin entièrement différents (*un oncle/une tante*, *un coq/une poule*, etc.). Il n'est nullement question ici de règle d'accord; ces connaissances relèvent plutôt d'une leçon de vocabulaire. Or, la meilleure façon de s'approprier des mots nouveaux est de les entendre nommer dans une situation signifiante. Par exemple, une leçon de sciences de la nature amènera beaucoup plus sûrement les enfants à apprendre les noms des divers membres des familles d'animaux (*un cheval/une jument/un poulain*, *un lièvre/une hase/un levraut*, etc.) que n'importe quelle leçon de grammaire ! Une fois connus à l'oral, ces divers termes ne posent plus, au féminin singulier, que des problèmes d'orthographe d'usage.

Définition et repérage du nom

Bien sûr, pour être en mesure de bien accorder le nom, il faut d'abord le reconnaître. Dès le départ, on doit donc initier l'élève au concept de nom. J'ai fait allusion précédemment au peu de rigueur des définitions de la grammaire traditionnelle. Ceci vaut pour le nom comme pour le verbe.

Si nous nous reportons à la définition que nous avons apprise dans notre enfance : « le nom est un mot qui désigne une personne, un animal ou une chose », la *récréation*, l'*heure*, la *simplicité*, un *accord* et le *néant* seraient-ils des choses ? Notons que cette définition sévit encore dans plusieurs codes grammaticaux apparus récemment dans les écoles. On y ajoute parfois, il est vrai, que les noms désignent aussi « des idées ». Comment l'élève peut-il être sûr que les mots *évaluer*, *gentil*, *tantôt*, *parfaitement* et *s'interroger* ne sont pas des idées ? On y lit même qu'ils peuvent servir à nommer « des actions », « des qualités », voire « des états ». L'élève ne les confondra-t-il pas alors avec le verbe ou l'adjectif ?

Il vaudrait mieux, une fois encore, s'en tenir au strict critère fonctionnel de la grammaire structurale, en vertu duquel « un nom est un mot devant lequel on peut mettre *un*, *une*, *des* ou *du*, ou encore, *le*, *la*, *les* ou *l'* ». (Notons que le fait d'employer *un*, *une*, *des* ou *du* règle plus facilement le cas des mots qui commencent par une voyelle ou un *h* aspiré.) Il est important de préciser ici que c'est toujours dans le contexte d'une phrase donnée que l'enfant doit appliquer la définition. Ainsi, il lui sera facile de distinguer les mots polysémiques, comme *porte*. Il se demandera simplement : « Dans le cas présent, est-ce le mot devant lequel je peux dire *une*, ou plutôt celui devant lequel je peux dire *il(s)* ou *elle(s)* ? » Le sens lui indiquera instantanément la réponse adéquate.

Dès que l'élève est en « état d'alerte » après avoir découvert un « signal de pluriel », *cinq* par exemple, il doit s'assurer
que celui-ci commande bien à un nom, en se posant la question
suivante : *cinq… quoi?* Si le mot qui répond à la question
se dit bien après *un*, *une*, *des* ou *du*, c'est un nom à accorder.
Ce type de raisonnement est nécessaire, pour le cas où l'enfant
repérerait des mots comme *ils*, *nous* et *vous* en tant que
« signaux de pluriel ». Il se dira alors, par exemple : « *Ils…
quoi? Ils chantent*. Mais comme on ne peut pas dire *des
chantent*, ce dernier mot n'est pas un nom pluriel. »

De même, certains signaux de pluriel, comme *les*, sont
parfois suivis d'un verbe et non d'un nom. Exemple : *Dès
que je lui donne des biscuits, il les mange*. Simulons le raisonnement que pourrait faire l'enfant : « *Les… quoi? Les
mange* (sic). Mais comme on ne peut pas dire : *des mange*,
ce mot n'est pas un nom à accorder au pluriel. » La définition
fonctionnelle du nom ne s'appliquant pas au mot *mange*, l'enfant en conclut que *les*, dans ce cas particulier, n'est pas « un
signal de pluriel qui commande à un nom ».

Une fois que l'élève dispose d'une définition efficace, il
lui reste à faire correctement l'accord du nom, le cas échéant.
Comment enseigner ce cas d'une manière « amicale pour
l'usager » ?

La vraie difficulté du pluriel

Comme je le mentionnais plus haut, on perd généralement
un temps précieux à enseigner des règles de formation du
féminin et du pluriel qui n'ont rien à voir avec l'orthographe
grammaticale. Mais ce n'est pas tout : on néglige ordinairement, par ailleurs, de travailler en classe, de façon systé-

matique, ce qui constitue les vraies pierres d'achoppement en matière d'accord du nom. Quelles sont-elles ? Attardons-nous d'abord au cas du pluriel. Pour y voir plus clair, voici les types de fautes les plus fréquents que j'ai relevés dans des copies d'élèves de 6ᵉ année.

Comme on pouvait s'y attendre, à la fin du primaire, les élèves orthographient en général correctement la finale des noms qui suivent immédiatement les signaux de pluriel les plus évidents, comme *mes*, *les* ou *des*. Ils n'en font pas moins hélas ! de nombreuses fautes sur les cas suivants : *mes petits chat* (on dénombre beaucoup d'erreurs dès qu'un adjectif fait écran entre le déterminant et le nom) ; *à huit heure*, *deux sorte de...* (étonnamment, les enfants omettent souvent d'accorder au pluriel le nom qui suit un nombre).

Parmi les autres types de fautes fréquents, signalons : *d'autre film* (le mot *d'autres* est obstinément mal accordé par un grand nombre d'enfants) ; *certain poisson* ; *quelque rue* ; *plein de chose* ; *avoir de mauvaise note* (sic). Dans ces cas, tout se passe comme si l'enfant n'arrivait pas à détecter efficacement « les signaux » de pluriel, pourtant évidents.

Bien sûr, on trouve aussi des erreurs du type : *une tarte au bleuet*, *un coffre à crayon*, *des contenants en cartons*, *une salade de fruit*, *les arbres ont perdu leur feuille* (sic). On est ici en présence de « signaux cachés de singulier ou de pluriel » qui exigent un appel au sens pour décider de la finale à inscrire. Il n'est guère étonnant de constater ce type d'erreurs car, à ma connaissance, pas une ligne du programme de 1979 n'est consacrée spécifiquement à cette difficulté ; pas plus d'ailleurs qu'aux homophones *tout/tous* qui posent eux aussi bien des problèmes aux élèves. Il importe, me semble-t-il, de combler ces lacunes le plus rapidement possible.

Une progression plus rigoureuse

Comment renouveler l'enseignement de l'accord du nom pluriel ? Tout d'abord, il semble essentiel d'établir une progression beaucoup plus rigoureuse des divers types de difficultés que soulève cet accord. Pour cela, il convient bien sûr de partir de ce qui est évident pour l'élève, pour l'amener progressivement vers ce qui l'est moins.

Or, ce qui est évident pour lui, c'est la notion de *plusieurs* opposée à *un seul*, concept logique que l'enfant possède déjà, avant même son entrée à l'école. C'est pourquoi on peut miser sur le fait que, lorsqu'il dit les mots *mes*, *ses*, *des*, *les*, *plusieurs*, *quatre*, *dix*, *cent*, etc., il comprend très bien que l'idée évoquée est qu'« il y en a plusieurs ».

En orthographe grammaticale, trois situations particulières se présentent : 1° Le nom est précédé d'un signal évident de pluriel : on est donc absolument sûr alors que ce nom est pluriel. Exemples : *des lunettes*, *vos chats*, *d'autres élèves*, *quelques magasins*, *plusieurs livres*. 2° Le nom est précédé d'un signal évident de singulier : on est donc absolument sûr qu'il n'est pas pluriel. Exemples : *ma chaise*, *son chien*, *l'armoire*. 3° Le nom n'est précédé ni d'un signal évident de singulier, ni d'un signal évident de pluriel. On doit absolument faire appel au sens pour solutionner le problème. Exemples : *du jus d'orange(?)*, *du beurre d'arachide(?)*.

Partant de là, voici quelles étapes il serait souhaitable de respecter dans l'enseignement de l'accord du nom pluriel :

1° Au cours des premières années de scolarité, on initie les élèves au concept de nom et on leur apprend que certains mots sont des signaux évidents de pluriel qui commandent à des noms, comme *mes*, *des*, *les*, *plusieurs*, les chiffres autres que *un*, etc. ; on leur enseigne parallèlement quand mettre un

-*s* et quand mettre un -*x* au nom pluriel. Pour que cet apprentissage soit rapide et efficace, il est opportun, quand les élèves révisent leur texte, de les inciter à y encercler tous les signaux évidents de pluriel, indices probables d'un accord du nom à faire. C'est ainsi qu'ils encercleront *des*, dans : *des lapins*, *d'autres*, dans : *d'autres enfants*, mais aussi *une pile de*, dans : *une pile de livres*, puisque ces divers indices indiquent tous clairement qu'« il y en a plusieurs ».

2º En 4ᵉ année, il est utile de préciser aux élèves que, chaque fois que le nom représente une réalité qui se compte, il est pluriel, mais qu'autrement il est singulier. Exemples : *beaucoup de pommes*, *beaucoup de sucre*; une cour *remplie d'arbres*, *remplie de sable*.

3º En 5ᵉ année, il faut absolument intervenir sur les noms précédés de « signaux cachés de singulier ou de pluriel ». Jusqu'ici, en révisant son texte, l'élève a pris l'habitude d'encercler tous les signaux évidents de pluriel; quant aux noms précédés d'un signal évident de singulier, il a pris l'habitude de ne pas s'en préoccuper. Il lui reste désormais à prendre en compte les noms qui ne sont précédés ni d'un signal évident de singulier, ni d'un signal évident de pluriel : dans ces cas-là, il ne peut encercler, dans son texte, aucun indice sûr de faire ou non l'accord. Dans un premier temps, l'élève doit donc repérer directement le nom (ce qui lui est facile en 5ᵉ année, parce qu'il en possède déjà bien la définition), puis faire appel au sens pour déterminer s'il y a lieu ou non de faire un accord au pluriel.

Dans des cas comme : *les arbres ont perdu leur(?) feuille(?)* ou *du gâteau au(?) carotte(?)*, un raisonnement simple fournit la réponse : un arbre ne perd pas qu'une seule feuille; quant au gâteau, si *carotte* avait été au singulier, on aurait dit : *à la carotte*. Cependant, dans des cas ambigus comme : *de la confiture de fraise(?)*, *du beurre d'arachide(?)*, *une copie sans faute(?)* ou *une salle de bain(?)*, il est essentiel d'initier les élèves à consulter un outil de référence, en cas de doute. Pour rendre la révision de textes plus efficace, on pourrait indiquer à l'élève de mettre un point d'interrogation, dans sa copie, au-dessus de tous les noms qui ne sont précédés ni d'un signal évident de singulier, ni d'un signal évident de pluriel, mais plutôt d'un « signal caché de singulier ou de pluriel », puisque seul un appel au sens permet alors de résoudre le problème.

D'après moi, le fait d'attirer systématiquement l'attention des élèves sur ce cas particulier, en exigeant qu'ils fassent chaque fois un raisonnement adéquat (ou qu'ils consultent, au besoin, un outil de référence), réussirait à faire chuter de façon notable le taux d'erreurs relatives au nom pluriel.

4° À partir de la 5ᵉ année, on doit aussi attirer l'attention des élèves sur le fait que certains signaux évidents de pluriel prennent eux-mêmes la marque du pluriel. Exemples : *quelques, certains/certaines, d'autres, différents/différentes* et *toutes*. On doit aussi leur enseigner systématiquement à distinguer les homophones *tout/tous* : il suffit pour cela d'indiquer que, chaque fois que le mot [tou] est suivi d'un signal évident de pluriel (*tous les, tous nos, tous ces*, etc.), il s'écrit *tous*, et que, dans les autres cas, on écrit *tout*. Exemples : *tous les jours, tous vos cahiers* ; *tout ce que vous voulez, tout le temps, ils sont tout petits*. Le cas rare où le déterminant *tous* n'est pas suivi d'un autre déterminant pluriel, comme dans l'expression : *tous droits réservés*, devrait être inscrit au programme du secondaire seulement. Quant au mot *tous* pronom, il ne pose aucun problème d'orthographe, puisqu'il se prononce [touss]. Exemple : *Nous savons tous que...*

À propos des déterminants qui prennent eux-mêmes la marque du pluriel, je suggère de signaler aux élèves, en passant, que le mot *même* s'accorde au pluriel quand il est, non pas *suivi* d'un signal de pluriel, comme *tous*, mais plutôt *précédé* d'un tel signal. Exemples : *les mêmes bruits, il parle toujours des mêmes choses.* On ne devra pas négliger non plus de mentionner que le mot *au* prend lui aussi la marque du pluriel : *aux.*

La vraie difficulté du féminin

Comme je l'ai souligné précédemment, le véritable problème de l'accord du nom au féminin, en orthographe grammaticale, ne réside pas dans les nombreuses règles de *formation* du féminin à partir du masculin (mots en *-on* qui font *-onne*, en *-er* qui font *-ère*, en *-ien* qui font *-ienne*, en *-f* qui font *-ve*, etc.). En effet, ces règles sont déjà bien intégrées à l'oral par les enfants, ce qui les amène à écrire sans problème, par exemple : *Au zoo, j'ai vu une lionne*; *j'ai interrogé une fermière*; *ma chienne a eu des petits*; *c'est une grande sportive.* La vraie difficulté de l'accord au féminin réside plutôt dans l'ajout occasionnel d'un *-e* muet. L'enfant doit apprendre à repérer à coup sûr les quelques noms, comme *amie, inconnue, syndiquée, blessée*, etc., qui prennent un *-e* non marqué à l'oral, alors que cette règle ne s'applique pas à la multitude des autres noms féminins.

Il ne fait pas de doute que ce cas est bien plus difficile que celui de l'accord du nom pluriel, qui présente, pour sa part, une belle régularité. À peu près tous les noms peuvent s'accorder au pluriel; par comparaison, seuls quelques noms appellent une marque particulière au féminin. Le conditionnement est donc beaucoup plus fort pour le pluriel qu'il ne l'est pour le féminin. C'est pourquoi je fais l'hypothèse qu'on devrait enseigner ce cas en 4e année seulement, pour respecter le principe selon lequel on doit toujours partir de ce qui est plus évident pour l'enfant et poursuivre avec ce qui est plus occasionnel ou moins évident.

En 3ᵉ année, on peut faire apprendre par cœur le mot *amie* qui revient fréquemment dans les textes des enfants. En 4ᵉ année, il convient d'expliquer aux enfants comment repérer efficacement les noms qui prennent un -*e* muet : « Ce sont, en général, les mots avant lesquels on peut dire *femme(s)*, *fille(s)* ou, pour les animaux, *femelle(s)*, et qui ne finissent pas déjà par -*e*. Exemples : *Je connais deux employées de cette usine* (deux *femmes* employées); *deux inconnues l'ont abordé* (deux *femmes* ou *filles* inconnues); *la blessée a été conduite chez le vétérinaire par l'agent de protection de la faune* (la *femelle* blessée). » La même règle s'applique aux titres féminisés en -*e* muet : *une ingénieure*, *une auteure* signifient *une femme ingénieure*, *une femme auteure*.

On verra dans le chapitre suivant, consacré à l'adjectif, que l'ajout d'un -*e* muet au féminin constitue une règle infiniment plus difficile à maîtriser que ne le sont les règles d'accord du pluriel, bien qu'en vertu d'une tradition solidement implantée on enseigne depuis toujours le genre avant le nombre, comme si cette progression était nécessairement judicieuse...

Le concept de déterminant

La notion de *déterminant* n'existe pas dans la grammaire traditionnelle qui propose plutôt, pour le groupe de mots dont il est question, les concepts disparates d'articles défini et indéfini, d'adjectifs possessif, démonstratif, interrogatif, exclamatif et indéfini, sans compter celui d'adjectifs numéraux cardinal et ordinal. Réjouissons-nous que la grammaire structurale (encore elle!) soit venue mettre un peu de logique dans ce fouillis, en désignant d'un même terme, *déterminants*, tous les mots qui, placés devant le nom, jouent un même rôle, celui de déterminer *dans quel sens on doit entendre ce nom*.

Le concept de *déterminant* est-il indispensable en orthographe grammaticale? Étonnamment, c'est en matière d'accord de l'adjectif qu'il rendra les plus fiers services, et cela à partir de la 5e année seulement, comme je l'expliquerai dans le chapitre suivant. En 3e et en 4e année, c'est en tant que « signaux de pluriel » que les déterminants sont utiles car, une fois repérés, ils incitent l'élève à accorder le nom au pluriel. Il ne s'agit pas alors d'attirer l'attention sur tous les déterminants, ni même uniquement sur des déterminants, mais bien sur tous les mots qui ont pour fonction, dans la phrase, d'alerter l'enfant sur la présence possible d'un nom pluriel. Dans : *tes cassettes*, ce sera le mot *tes* qui jouera ce rôle, alors que dans : *une armoire remplie de verres* et *une pile de livres*, ce seront les expressions *remplie de* et *une pile de*.

C'est pourquoi l'expression imagée « signal de pluriel » se substitue avantageusement au terme abstrait « déterminant ». D'une part, elle est plus évocatrice pour de jeunes enfants ; d'autre part, elle englobe des mots autres que les seuls déterminants.

Mais revenons au déterminant proprement dit. Tel que je l'ai mentionné, placé devant le nom, le déterminant indique (ou détermine) *en quel sens entendre ce nom* : par exemple, s'agit-il d'*une* table, de *quelques* tables, de *leur* table, de *cette* table ou d'*autres* tables? Chaque fois, le déterminant colore notre compréhension du nom qui suit. Certes, les déterminants agissent parfois, en plus, comme indices du genre et/ou du nombre de ce nom, mais comme il ne s'agit pas là d'une caractéristique intrinsèque constante, cela ne devrait pas faire partie de la définition qu'on en donne aux élèves. (Par exemple, les mots *les* et *quelques* n'indiquent pas le genre du nom qui suit, les termes *au(x)* et *quel(s)* n'en révèlent pas le nombre, etc.)

La plupart du temps, le scripteur écrit un déterminant, comme n'importe quel mot invariable, sans avoir besoin de recourir à la nature précise de ce mot pour bien l'orthographier. En 5e année cependant, il est important d'enseigner que certains déterminants prennent eux-mêmes, le cas échéant, la marque du pluriel, comme *aux*, *quelques*, *d'autres*, *certains*, *différents*, etc., que d'autres prennent la marque du féminin, comme *quelle*, ou du masculin, comme *cet*. Il est intéressant par ailleurs de faire remarquer la lettre initiale *c* propre aux déterminants démonstratifs, par rapport à la lettre initiale *s* propre à certains déterminants possessifs. (Notons qu'avant l'âge de dix ans, les enfants emploient peu le démonstratif *ces*, ce qui rend cette distinction superflue, avant la 5e année environ.)

On remarquera que j'ai employé l'expression *déterminants démonstratifs* et non *déterminants « adjectifs » démonstratifs* qu'on retrouve dans à peu près tous les codes grammaticaux en usage. Soyons logiques : ou l'on s'en tient à la grammaire traditionnelle, et l'on maintient les termes *article* et *adjectif* pour désigner la nature de ces divers mots qui précèdent un nom ; ou alors on adopte résolument le terme *déterminant* pour désigner la nature fonctionnelle de ces mots, et l'on bannit alors à tout jamais les termes articles et adjectifs, apposés au terme *déterminant*. Car c'est justement pour remplacer ces notions disparates qu'on a créé le concept de déterminant !

Si l'on y pense bien, le terme *article* n'est-il pas parfaitement vide de sens ? Par ailleurs, en quoi plusieurs des déterminants seraient-ils de véritables *adjectifs* ? Quel lien existe-t-il entre eux et les adjectifs qualificatifs, pour qu'on leur ait octroyé la même dénomination? Bien fin qui saurait le dire. Au moins le terme *déterminant* a-t-il le mérite d'être logique, univoque et explicite : il couvre *toute* la gamme des mots qui jouent *un même rôle* dans la phrase, celui de *déterminer* en quel sens entendre le nom qui suit.

Chose certaine, le placage artificiel des concepts de la grammaire traditionnelle sur ceux de la grammaire structurale – hélas! trop fréquent aujourd'hui – ne peut que semer la confusion dans l'esprit des enfants, tout en entraînant, une fois de plus, des pertes de temps déplorables dans l'enseignement de l'orthographe grammaticale. Sans compter que le maintien du terme équivoque d'adjectif appliqué à certains déterminants rendra plus difficile l'acquisition du concept d'accord de l'adjectif (et du participe passé) abordé dans le chapitre qui suit.

Auparavant, voici la grammaire que les élèves pourraient avoir en main, dans le but d'apprendre rapidement et efficacement toutes les connaissances relatives à l'accord des noms et de certains déterminants, de même qu'à l'orthographe correcte des quelques couples d'homophones qui impliquent un déterminant.

Contenu d'un enseignement grammatical renouvelé

NOMS ET DÉTERMINANTS

RAPPEL : La mention (T) signifie que la connaissance indiquée devrait idéalement être terminale (c'est-à-dire en principe parfaitement maîtrisée dans un texte personnel, au primaire), à la fin du degré scolaire désigné par le chiffre qui suit; un objectif idéalement terminal au secondaire est accompagné de la mention (T. sec.). Ces degrés sont suggérés par la nouvelle pédagogie grammaticale proposée. Quant aux mots écrits en majuscules, ils indiquent la terminologie traditionnelle qu'il est pertinent de conserver.

3ᵉ année

Repérage du nom pluriel

- Le NOM est un mot devant lequel on peut mettre *un*, *une*, *des* ou *du* (ou encore *le*, *la*, *les* ou *l'*). (T3)

- Un nom est souvent précédé d'un signal évident de pluriel, comme *mes*, *tes*, *ses*, *des*, *les*, *plusieurs*, *deux*, *cent*, etc. (T3)

Accord du nom

- Dès qu'on repère un signal évident de pluriel, par exemple *mes*, dans la phrase : *Mes chats ont soif*, on se pose la question *quoi?* après ce signal. Exemple : « *Mes... quoi? Mes chats.* » Si, dans les mots de la réponse, il y a un nom, ce nom S'ACCORDE AU PLURIEL. Par exemple ici, c'est le cas du mot *chats*, qui est un nom, puisqu'on peut dire : *un* chat, *des* chats. (T3)

- Quand un nom s'accorde au pluriel, on y ajoute la plupart du temps un *-s*, à moins qu'il ne se termine déjà par les lettres *-s*, *-x* ou *-z*. (T3)

- Il y a quelques exceptions à cette règle : les noms en *-au* et en *-eu* prennent un *-x* au pluriel (sauf *pneus*). (T4)

- Il y a également sept exceptions en *-ou* qui prennent un *-x* au pluriel : *bijoux*, *cailloux*, *choux*, *genoux*, *hiboux*, *joujoux* et *poux*. (T4)

Homophones

- Quand le mot [mè] est un signal évident de pluriel placé devant un nom et qu'il signifie *à moi*, on écrit *mes* ; il est alors possible de le remplacer par *tes*. Si c'est un verbe, on écrit *met* ou *mets*. Autrement, on écrit : *mais*. (T4)

Majuscule des noms propres

- Le « nom spécial » donné à une personne, un animal, un endroit ou une chose (une poupée, par exemple) commence par une MAJUSCULE. On appelle aussi le « nom spécial » un NOM PROPRE. (T2)

- Voici le raisonnement à faire pour déterminer si un nom est un nom propre. Par exemple, dans la phrase : *Mon chien Fido jappe souvent*, on se dit : « Tous les chiens sont des chiens, mais tous les chiens ne portent pas le nom spécial de Fido. *Fido* est donc un nom propre qui prend une majuscule. » (T3)

4e année

Accord du nom

- Certains noms, peu nombreux, prennent un *-e* au féminin. On les reconnaît au fait qu'on peut alors dire *une femme, une fille* ou (pour les animaux) *une femelle* devant ces noms. Exemples : *amie, abonnée, inconnue, mariée, employée, mineure, blessée, opérée,* etc. (T6)

- Au pluriel, les noms qui forment des couples *-al/-aux* et *-ail/ -aux* finissent par *-x*, puisque, après les lettres *-au*, les mots se terminent par *-x*. Quand on n'est pas sûr que le mot forme un tel couple, on consulte un outil de référence. (T4)

Majuscule des noms propres

- Les noms propres de produits prennent une majuscule : la crème glacée *Frigo*, mon jeu *Astrojet*. (T4)

5e année

Repérage et orthographe du déterminant

- Le mot qui accompagne un nom et qui nous indique en quel sens entendre ce nom s'appelle un DÉTERMINANT. (T5)

- Certains déterminants (*mes, les, plusieurs, quatre,* etc.) agissent comme des signaux évidents de pluriel qui nous indiquent que le nom qui suit est pluriel. (T5)

- Certains déterminants sont appelés POSSESSIFS, car ils indiquent qui possède la réalité exprimée par le nom, à qui elle appartient : *ta* règle, *mon* crayon, *leur* père, etc. Remarquer le *s* au début des mots : *son*, *sa* et *ses*. On remarque aussi ce *s* dans les pronoms *s'* et *se*. (T6)

- D'autres déterminants sont appelés DÉMONSTRATIFS, car ils signifient : ce qu'on peut montrer, ou encore ce dont on vient de parler. Remarquer le *c* au début des mots : *ce*, *cet*, *cette* et *ces*. On remarque aussi ce *c* dans les pronoms *c'*, *ce*, *ça* et *cela*. (T6)

- Dès qu'on peut remplacer le mot *cet* par *un*, il s'écrit *cet* et non *cette*. Exemples : *cet arbre*, *cet instrument*, *cet hôtel*, *cet hiver*. (T6)

Accord du déterminant

- La plupart des déterminants sont invariables : ils s'écrivent toujours comme on les trouve dans le dictionnaire. D'autres s'accordent au féminin et/ou au pluriel :

  - Certains prennent au féminin une marque qu'on n'entend pas à l'oral, par exemple : *quelle*. Exemples : *Quelle* belle journée! *Quelle* surprise! (T6)

  - Certains prennent au pluriel une marque, *-s* ou *-x*, qu'on n'entend pas à l'oral : *aux*, *certains*, *certaines*, *leurs*, *quelques*, *quels*, *quelles* et *toutes*. (T6)

- Quand le mot *même* est précédé d'un signal évident de pluriel, il s'accorde au pluriel : *les mêmes*, *des mêmes*. Exemple : Il parle toujours *des mêmes* choses. (T5)

Accord du nom

- Parfois, le nom n'est précédé ni d'un signal évident de singulier, ni d'un signal évident de pluriel, mais plutôt d'un signal caché de singulier ou de pluriel. C'est-à-dire qu'aucun mot de la phrase ou de l'expression ne nous indique clairement si le nom est singulier ou pluriel. Exemples : *des patins à roulettes*, *une tarte aux bleuets, une copie sans faute, des chaises en plastique, les arbres ont perdu leurs feuilles, quel beau foulard il a!*

- Dans ce cas, on doit se fier au sens pour savoir si le nom s'accorde ou non au pluriel. Exemples : les patins ont plusieurs roulettes, la tarte est faite de plusieurs bleuets, etc. (T6)

- En cas de doute (exemples : un jus d'*orange* ou d'*oranges*? une salle de *bain* ou de *bains*? une copie sans *faute* ou sans *fautes*?), on consulte une source de référence. (T. sec.)

Homophones

- Lorsque l'homophone [sè] est un signal de pluriel placé devant un nom, il s'écrit *ses*, s'il est un possessif, et *ces*, s'il est un démonstratif. Lorsqu'on peut y substituer *cela est* ou *ce n'est pas*, il s'écrit : *c'est*. Lorsqu'on peut mettre devant *il/elle/on*, il s'écrit *s'est*. (T6)

- Quant aux homophones *tous/tout*, si le mot [tou] est suivi d'un signal évident de pluriel, il s'écrit *tous* : *tous les*, *tous nos*, *tous ces*, etc.; dans les autres cas, il s'écrit *tout*. (T5)

6ᵉ année

NOTE : En 6ᵉ année, on poursuit l'apprentissage des règles apprises jusque-là.

Aperçu des cas à traiter au secondaire

- Le déterminant *tel* prend la marque du féminin et du pluriel.

- Accord des noms de couleur accolés à un autre nom, par ellipse du déterminant. Exemples : des souliers *bleu foncé* = d'un bleu foncé ; des souliers *marron* = de la couleur du marron ; des souliers *orange* = de la couleur de l'orange ; des souliers *bleu marine* = du bleu de la marine. (Ce cas est appelé à tort le cas des *adjectifs* de couleur. En réalité, les mots en italique ne s'accordent pas, dans les expressions précédentes, parce que ce sont des noms singuliers et non des adjectifs.)

- Pluriel des noms composés.

- Pluriel des noms propres.

- Accord du mot *demi* (comme on ne peut pas dire : *il est demi/ elle est demie*, ce mot n'est jamais un adjectif : c'est plutôt un nom). Placé avant le nom et joint à ce dernier par un trait d'union, il est invariable : une *demi*-heure. Placé après le nom, il prend, étrangement, le genre de ce nom. D'où : une heure et *demie* (sous-entendu : et *une* demie d'une heure) ; un mètre et *demi* (sous-entendu : et *un* demi d'un mètre).

- Distinction entre *quelque(s)* (déterminant), *quelque* (adverbe) et *quel* (déterminant) + *que* + verbe *être*.

- Déterminants numéraux : multiples de *vingt* et *cent*.

- Exceptions en -*s* de noms en -*au* : des *landaus*, des *sarraus*.

- Accord du nom dans certaines expressions particulières, comme : des appareils *haut* de gamme (= situés *au haut* de la gamme des produits) ; des *haut*-parleurs [littéralement : des appareils qui *parlent haut* (adverbe), d'où l'invariabilité du mot *haut*)].

4

Accord de l'adjectif
et du participe passé

OBJECTIF À ATTEINDRE

On considérera que l'enseignement grammatical a réussi si, à la fin du primaire, l'élève place à bon escient, dans ses textes, le cas échéant, les finales suivantes aux adjectifs et aux participes passés : -*s* ou -*x* au masculin pluriel, -*e* au féminin singulier et -*es* au féminin pluriel, dans des structures du type : *des bas bruns, les beaux petits chiens*; *tes chemises bleues sont usées*; *les livres que j'ai achetés*; *ils semblent intéressants*; *ils se sont amusés*; si, par ailleurs, il laisse le participe passé invariable dans les structures fréquentes du type : *elle a mangé des fruits*; *elle s'est acheté des disques*; *ils ont obéi.*

Un objectif ambitieux

Certains ne manqueront pas de qualifier d'ambitieux, voire de téméraire, le projet de réintroduire au primaire l'accord des participes passés avec *avoir* et celui des participes passés des verbes pronominaux. N'a-t-on pas justement repoussé au début du secondaire, dans le programme de 1979, ces règles d'accord du participe, sous prétexte qu'elles impliquent des raisonnements trop complexes pour les enfants du primaire et engendrent des pourcentages de fautes tels qu'il semble plus sage d'attendre que les jeunes aient 12 ou 13 ans pour entreprendre ce difficile apprentissage? D'ailleurs, la France elle-même n'a-t-elle pas adopté une mesure analogue dès 1977 et, semble-t-il, pour les mêmes raisons? (Il est vrai qu'en France le début du secondaire correspond à notre 6e année, mais cette décision des Français n'en dénote pas moins une volonté de reporter à plus tard des cas jugés problématiques.)

L'objectif ambitieux que je fixe ici procéderait-il d'une secrète velléité de retour en arrière? Loin de moi cette idée, puisqu'il paraît évident que les mêmes causes produiraient alors les mêmes effets, ce qui ne nous avancerait à rien. Ce que j'ai en tête, ce n'est rien de moins qu'une révision en profondeur *de l'enseignement* des règles d'accord des adjectifs et des participes passés. Car ce qu'il faut savoir, c'est que cet enseignement, mis en place entre 1750 et 1820 environ, n'a jamais été sérieusement retouché depuis (sinon pour le complexifier encore davantage!), et ce, malgré la pierre d'achoppement qu'il a toujours constitué pour un grand nombre de scripteurs.

En ce qui concerne l'accord du verbe et celui du nom, j'ai tenté jusqu'à maintenant d'indiquer comment rendre l'apprentissage plus efficace, tout en gagnant un temps de classe précieux, grâce à une plus grande rationalisation de l'enseignement, de même qu'à une adaptation plus pertinente à l'âge des élèves. Ces atouts devraient entraîner à court terme une amélioration notable des résultats. Ce n'est rien pourtant en regard des bénéfices importants qu'on pourrait tirer d'une révision en profondeur de l'enseignement de l'accord de l'adjectif et du participe passé, si cette réforme était guidée par le même esprit logique, appuyé sur une approche résolument

« amicale pour l'usager ». On pourrait très certainement enseigner tous les principaux cas d'accord du participe passé dès le primaire, avec des taux de réussite jamais atteints.

Des résultats inquiétants

Avons-nous raison de nous inquiéter des résultats des élèves en matière d'accord de l'adjectif ? Depuis des années, les professeurs du secondaire se plaignent d'avoir à enseigner à nouveau des cas maîtrisés en principe à la fin de la 6e année. Certains enseignants du primaire prétendent qu'il y a eu amélioration, d'autres au contraire se sentent découragés devant les mauvais résultats des élèves. Qui croire ? Si on veut agir, il faut avoir une idée claire de la situation. Pour en avoir le cœur net, j'ai donc procédé à l'analyse de corpus dont les résultats sont rapportés en introduction. Si l'on en croit les données de recherche obtenues, au moment d'entrer au secondaire, les élèves maîtrisent *très approximativement* l'accord de l'adjectif et du participe passé employé seul et avec l'auxiliaire *être*.

Avant de présenter les résultats de cette étude, rappelons d'abord les trois structures syntaxiques maîtrisées en principe à la fin du cours primaire, aux termes du programme de 1979. Comme on le sait, ce dernier recommande de traiter le participe passé employé seul ou avec *être* comme un simple adjectif et de ne pas faire la distinction ; dans l'analyse qui suit le terme *adjectif* comporte donc toujours cette acception large. Voici les trois structures étudiées :

STRUCTURE 1

Déterminant	+	adjectif	+	nom
Tes		*nouveaux*		livres
Une		*vraie*		aubaine
Mes		*meilleures*		amies

NOTE : Il peut y avoir plus d'un adjectif entre le déterminant et le nom :

Ses		*beaux petits*		lapins

STRUCTURE 2

Déterminant + nom	+	adjectif
Nom propre	+	**adjectif**
Pronom	+	**adjectif**
Mes	poissons	*rouges*
Une	journée	*ensoleillée*
Claudine,		*âgée* de cinq ans
Les	livres	*rangés* là
Celles		*posées* sur cette étagère

STRUCTURE 3

Déterminant + nom	+	verbe *être*	+	adjectif
Nom propre	+	**verbe *être***	+	**adjectif**
Pronom	+	**verbe *être***	+	**adjectif**
Cette	chanson	a été		*traduite.*
Stéphanie		sera		*récompensée.*
Elles		auraient été		*vendues.*
Ceux qui		sont		*venus*

Dans les structures 2 et 3, l'adjectif peut se rapporter à plus d'un nom ou pronom et parfois à un nom *et* à un pronom. Exemples : Des tasses et des soucoupes *noires*. Claudine et lui ont été *élus*.

Rappelons que la recherche a porté sur 2 000 adjectifs recensés dans 552 copies d'élèves provenant de vingt commissions scolaires différentes du Québec et que, pour donner une idée juste des résultats des élèves en orthographe d'accord, je n'ai pris en compte, dans cette étude, ni les adjectifs au masculin singulier ni ceux au féminin singulier dont la finale est donnée à l'oral (comme *malade* ou *grande*) qui ne commandent pas, à proprement parler, l'application d'une règle d'accord.

Pour donner une idée plus complète de la situation, je rappelle, dans un premier temps, les résultats globaux obtenus, déjà mentionnés en introduction ; le tableau présente ensuite des données plus détaillées, de nature à faire comprendre sur quels cas devraient porter plus particulièrement nos efforts.

Ces résultats détaillés concernent les accords des adjectifs au masculin pluriel, au féminin pluriel, de même qu'au féminin singulier en -*e* muet ou, encore, en -*e* non marqué à l'oral par la majorité des gens, du type : *elle est assise, la chanson a été traduite, la chose que j'ai dite, la récompense lui a été offerte*. [Plusieurs, en effet, disent (et écrivent !) : *elle est assis, la chanson a été traduit, la chose que j'ai dit, la récompense lui a été offert* (sic).] Notons que ces deux cas de féminin singulier sont les seuls qui posent de réels problèmes d'orthographe grammaticale aux scripteurs.

Échecs relatifs à l'accord des adjectifs commandant l'application d'une règle dans les trois structures maîtrisées en principe à la fin de la 6ᵉ année

RÉSULTATS GLOBAUX

Structure	Nombre d'occurrences	Fautes	% de fautes
1	631	159	25
2	896	335	37
3	473	229	48
TOTAL	2 000	723	36

RÉSULTATS DÉTAILLÉS PAR TYPES D'ACCORD

Structure	Nombre d'occurrences	Fautes	% de fautes
Masculin pluriel			
1	295	72	24
2	518	181	35
3	148	69	47
SOUS-TOTAL	961	322	34
Féminin pluriel			
1	210	59	28
2	223	75	34
3	78	36	46
SOUS-TOTAL	511	170	33
Féminin singulier en -*e* muet			
1	126	28	22
2	155	79	51
3	247	124	50
SOUS-TOTAL	528	231	44

Ainsi, non seulement avons-nous reporté au secondaire tous les cas jugés difficiles, mais encore obtenons-nous un taux global d'échecs de 36% sur les quelques cas qui devraient, en principe, être parfaitement maîtrisés à la fin du primaire. Ce taux d'échecs atteint une moyenne de 44% en ce qui concerne l'accord de l'adjectif en -e muet; dans ce cas, il grimpe à 50% pour l'adjectif féminin placé *après* le nom ou le pronom auquel il se rapporte (soit 51% d'échecs pour l'adjectif épithète et 50% pour l'attribut)! Les élèves apposeraient leurs -e muets purement au hasard qu'ils ne feraient pas mieux!

Quant à l'adjectif au féminin pluriel comportant un -e muet, une analyse particulière que j'ai réalisée à cet égard révèle un taux global d'omission de ce -e de 45%. C'est dire qu'en plus de faire plus d'une faute sur trois sur la finale de l'ensemble des adjectifs, les élèves maîtrisent très approximativement l'accord en -e muet à la fin du primaire. Par la force des choses, ces règles devront donc à nouveau être objet d'apprentissage au secondaire, où l'on se plaint déjà d'un manque de temps pour enseigner les règles nouvelles propres à ce niveau d'études...

Confrontés à de pareils résultats, deux attitudes contradictoires s'offrent à nous : la résignation ou... l'action! C'est cette dernière option qui recueille ma faveur. En effet, seule une action énergique me paraît apte à nous sortir de l'impasse. Inutile de revenir à l'enseignement de l'accord de l'adjectif et du participe passé tel que dispensé depuis près de 200 ans : c'est lui qui est à l'origine du problème. Redresser la situation est possible : cela implique cependant de jeter un regard neuf sur la situation, en identifiant, en premier lieu, les causes probables d'échec de notre enseignement.

Une définition fonctionnelle de l'adjectif

La première condition pour améliorer la situation consiste à doter les élèves d'une définition fonctionnelle de l'adjectif. On enseigne généralement, au primaire, qu'un adjectif désigne une qualité et exprime le comment. Les mots *malade* et *détestable* sont-ils des qualités aux yeux de l'enfant ? Et que répondre à l'élève qui prétend qu'on doit écrire *des chaises en plastiques* (sic), puisque : « Les chaises sont comment ? *En plastique* ; donc, *plastique* s'accorde au pluriel. » Comment expliquer, par ailleurs, que les mots en italique dans les exemples qui suivent ne prennent pas de *-s* : « ils sont *ensemble* » et « les roues *avant* et *arrière* de la voiture » ?

Comme je l'ai souligné plus haut, le programme de 1979 recommande de « traiter le participe passé employé seul ou avec *être* comme un adjectif qualificatif et de ne pas faire la distinction » (pages 255 et 324). Tout va bien tant que le participe exprime le comment comme un simple adjectif qualificatif. Mais qu'en est-il de ces participes qui ont, toujours, ou en certaines occasions, un sens actif quand ils sont employés avec *être*, et qui n'expriment pas alors le comment ? On pense à : *ils sont allés*, *ils sont devenus*, *ils sont partis*, *ils sont venus*, etc. Ces mots répondent davantage à la question *quoi ?* qu'à la question *comment ?*

La définition qu'on donne habituellement de l'adjectif est impuissante à régler ces cas et la recommandation du programme ne s'applique pas à eux, ce qui conduit plusieurs enfants à écrire : *ils sont parti*, voire *ils sont partient* (sic) ! Pourtant, ces participes passés comptent parmi les plus fréquents à l'écrit. On se doit donc de trouver une définition de l'adjectif qui tienne compte de tous ces cas.

Autre problème : le fait de qualifier d'« adjectifs » les déterminants possessifs, démonstratifs, indéfinis, numéraux (cardinal et ordinal) n'arrange rien : on n'a jamais réussi à expliquer, en effet, en quoi ces divers mots sont vraiment des adjectifs, différents à la fois des adjectifs qualificatifs et des articles. Quelle logique en effet préside aux définitions en vertu desquelles les mots *le*, *la*, *les* ne sont pas des adjectifs, mais *son*, *sa*, *ses*, si ?

Ne nous leurrons pas : si les élèves font tant de fautes, même à la fin de la 6e année, c'est en grande partie parce qu'ils n'arrivent pas à repérer clairement les adjectifs et participes passés de leurs textes. Cela n'est guère surprenant car, dès le départ, ils sont confrontés, en cette matière, à des définitions à la fois multiples et peu rigoureuses, parce que non mutuellement exclusives.

Le but du nouvel enseignement grammatical proposé est donc de doter les élèves, en premier lieu, d'une définition telle de l'adjectif qu'elle recouvre à la fois tous les adjectifs qualificatifs et tous les participes passés susceptibles de s'accorder. Une définition univoque, c'est-à-dire ayant la même signification dans tous les cas, aidera beaucoup plus efficacement les élèves à repérer les mots à accorder que ne le font actuellement les définitions disparates d'adjectif qualificatif, de participe passé employé avec l'auxiliaire *être* ou avec l'auxiliaire *avoir* ou, encore, de participe passé des verbes pronominaux.

Disons tout de suite qu'en matière d'orthographe grammaticale la distinction entre *adjectif qualificatif* et *participe passé* n'est pas vraiment pertinente. En effet, en quoi cette distinction est-elle éclairante pour un enfant qui tente de bien orthographier : *des livres intéressants*, *des livres bien écrits* ou *des livres déjà lus* ? Je ne dis pas qu'un linguiste n'est pas justifié de faire cette distinction : je constate simplement qu'elle ne facilite pas aux enfants l'accord des adjectifs et participes. Par ailleurs, le fait d'éliminer de la gamme des adjectifs tous ceux qui n'en sont pas vraiment (« adjectifs » *définis*, *indéfinis*, *possessifs*, *démonstratifs*, etc.), pour les replacer dans la classe des déterminants, lève déjà une part de l'équivoque qui entoure actuellement le terme *adjectif*.

Voici donc la définition fonctionnelle de l'adjectif à laquelle les élèves devraient être initiés entre la 1re et la 4e année. En 5e année, cette définition ne devrait plus avoir de secret pour eux.

1° Un adjectif est *un* mot qui, au singulier, se dit bien seul après *il est/elle est*;

2° qui finit par -*e* au féminin;

3° qui répond à la question *comment?*...

4° ... ou, à défaut, à la question *quoi?*

Les trois premiers points de la définition s'appliquent aux « vrais » adjectifs, c'est-à-dire à tous les adjectifs qualificatifs, de même qu'à la très grande majorité des participes passés, à savoir tous ceux qui expriment le comment. Le dernier point de la définition désigne les « intrus », c'est-à-dire les participes passés qui s'accordent comme les autres, bien qu'ils n'expriment pas le comment.

Les « vrais » adjectifs

Voyons d'abord ce qui caractérise un adjectif véritable, en analysant en détail chacun des trois premiers points de la définition.

1° Un adjectif est *un* mot qui, au singulier, se dit bien seul après *il est/elle est.*

Exemples :

- fort : *il est* fort/*elle est* forte
- cuit : *il est* cuit/*elle est* cuite
- pris : *il est* pris/*elle est* prise
- malade : *il est* malade/*elle est* malade
- réparé : *il est* réparé/*elle est* réparée

En revanche, les mots en italique dans les exemples suivants ne peuvent pas être des adjectifs :

- Apporte des verres *en plastique*. (*En plastique*, ce n'est pas *un* mot, mais deux. Donc, cette expression n'est pas un adjectif. Quant au mot *plastique* employé seul, ce n'est pas un adjectif, car on ne peut pas dire : *il est plastique/elle est plastique*!)

- Ses amis sont *ensuite* revenus. (Ça ne se dit pas bien seul *il est ensuite/elle est ensuite*!)

- Ils sont *ensemble*. (On ne peut pas dire : *il est ensemble/elle est ensemble*!)

- Elles sont *quatre*. (On ne peut pas dire : *il est quatre/elle est quatre*! Ceci vaut pour tous les chiffres de deux à l'infini.)

- Ils ont *semblé* aimer ça. (On ne peut pas dire : *il est semblé/elle est semblé*!)

Comme on le constate, le fait de préciser que l'adjectif est *un* mot qui se dit bien après *il est/elle est* permet de le distinguer du complément du nom, sans qu'on ait besoin d'enseigner ce dernier concept. En effet, dans l'expression : *des chapeaux de paille*, l'élève ne pourra pas conclure que *paille* s'accorde avec *chapeaux*, puisqu'on ne peut pas dire *il est paille/elle est paille.* Si on lui fournit seulement la règle du *comment* (ce qui est fréquent à l'heure actuelle), sans insister sur le fait qu'il s'agit d'un seul mot, l'enfant raisonnera comme suit : *les chapeaux sont comment? En pailles* (sic)!

Cette première partie de la définition a beaucoup d'autres avantages : l'élève éliminera ainsi plusieurs mots qui ne sont pas des adjectifs, mais sans avoir besoin de les étiqueter. Prenons par exemple les mots *arrière* et *lentement.* Cela ne se dit pas *il est arrière/elle est arrière, il est lentement/elle est lentement* (on vient du coup de régler, entre autres, le cas de tous les adverbes en *-ment*); quant au mot *ensemble* qui répond à la question *comment,* son invariabilité se justifie très bien, du fait qu'on ne peut pas dire : *il est ensemble/elle est ensemble.*

Si l'on considère les chiffres, c'est-à-dire ce que la grammaire traditionnelle appelle « adjectifs numéraux cardinaux », ils ne s'accordent pas, simplement parce qu'ils ne répondent pas à la définition de l'adjectif donnée ici (d'où l'avantage de ne pas les appeler « adjectifs » numéraux, mais bien *déterminants* numéraux). Sans qu'il y paraisse, on vient de gagner ici plusieurs heures de classe, perdues trop souvent à faire étiqueter tous les mots selon leur nature, pour éviter que les élèves ne confondent certains d'entre eux avec l'adjectif et, par là, ne les accordent au pluriel, le cas échéant[1]!

Enfin, cette première partie de la définition de l'adjectif permet d'éliminer dès maintenant plusieurs participes passés

---

1.   Quant aux « adjectifs » numéraux ordinaux, ils se disent bien après *il est/elle est* (exemple : *il est deuxième/elle est deuxième*). Par ailleurs, ils répondent à la question : *quel?* plutôt qu'à la question : *comment?* Ils se situent de ce fait dans la classe des déterminants et non dans celle des adjectifs. Exemples : *Le vingtième siècle.* Quel siècle? Le vingtième. *La IVe République.* Quelle République? La IVe. *Les deux premières places.* Quelles places? Les deux premières. Le déterminant numéral ordinal s'accorde au pluriel à l'instar des déterminants *certains, d'autres* et *les mêmes.*

qui ne s'accordent jamais, car ils ne se disent pas après *il est/ elle est*; exemples : *il est semblé/elle est semblé*; *il est pu/ elle est pu*; *il est ressemblé/elle est ressemblé*, *il est consisté/ elle est consisté*. Impossible en effet de faire une phrase française commençant, par exemple, par *il est consisté*. *Consisté* ne peut donc jamais avoir valeur d'adjectif.

Vous êtes-vous déjà demandé comment il se fait que le dictionnaire Littré a toujours été réfractaire à l'accord du participe *coûté*? Ses auteurs sont pourtant passés par la même école que nous, laquelle préconise le non-accord de *coûté* dans le cas du « complément circonstanciel » (exemple : *les cent dollars qu'a coûté cette montre*), mais son accord, cependant, dans le cas du « complément direct » : *les peines qu'a coûtées cette aventure*. Pourquoi alors ce refus de l'accord? Dans son ouvrage *Le Bon Usage*, Grevisse précise :

> En 1878, l'Académie donnait *coûter* comme toujours intransitif; elle écrivait : *Les efforts que ce travail m'a coûté*. Pour Littré, *coûté* doit toujours rester invariable : *La somme que cette maison m'a coûté. Les pleurs que la mort de cet enfant a coûté à sa mère*[2].

La logique qui a guidé ces auteurs de dictionnaires (et non les moindres!) ne serait-elle pas justement celle que je tente de faire prévaloir ici : « on ne peut pas dire *il est coûté/ elle est coûté*, donc *coûté* n'agit jamais comme adjectif », raisonnement désormais à la portée de tout scripteur débutant[3]?

---

2. Maurice GREVISSE, *Le Bon Usage*, 11ᵉ édition, Duculot/Éditions du Renouveau pédagogique, 1980, p. 916, note 253.
3. Notons que la première partie de la définition de l'adjectif pourrait éventuellement servir de critère, sur ce point, à une réforme de l'orthographe : il suffirait d'admettre une tolérance, dans les cas cités plus haut, pour avantager ceux qui auraient tendance actuellement à accorder *coûté*.

Le seul cas qui pose vraiment un problème et mérite d'être signalé aux élèves est celui du participe passé du verbe *avoir* qui ne s'emploie guère au passif que dans l'expression : *il a été eu/elle a été eue*, et non dans l'expression au présent : *il est eu/elle est eue*. Cependant, comme ce sens passif existe, on le classe bel et bien parmi les adjectifs potentiels qui répondent à la présente définition.

Passons maintenant au deuxième point de la définition.

2° L'adjectif finit par -*e* au féminin.

Exemples :

• Elle est habil*e*, longu*e*, viv*e*, maquillé*e*, vert*e*, assis*e*, heureus*e*, couvert*e*, remis*e*, vrai*e*, vendu*e*, accepté*e*, etc.

Les mots suivants en italique ne peuvent donc pas être des adjectifs :

• *bien* (on ne peut pas dire : *il est bien/elle est bienne*; donc, on écrira : ce sont des gens *bien*);

• *loin* (on ne peut pas dire : *il est loin/elle est loine*; donc, on écrira : ils sont *loin*);

• *avant* (on ne peut pas dire : *il est avant/elle est avante*; donc, on écrira : ils sont *avant* nous).

Cette caractéristique aide énormément à repérer l'adjectif au premier coup d'œil et à le distinguer d'une foule de mots invariables, comme on le voit ici. Notons cependant qu'il existe quelques rares exceptions à cette règle, soit les mots : *chic*, *snob* et *mieux* (parfois employé comme attribut), de même que certains adjectifs, employés en abréviation, par exemple *super* (diminutif de *supérieur*), *extra* (diminutif de *extraordinaire*), *stéréo* (diminutif de *stéréophonique*), etc.

J'ai remarqué, en lisant des textes d'enfants, que les francophones omettent très rarement le -*e* final d'un adjectif féminin quand il est senti à l'oral, alors que certains allophones omettent ce -*e*, même quand ils ne confondent pas le genre du nom. Ils écriront, par exemple : *Ma mère est gentil* ou *ma bicyclette est vert* (sic). Cette partie de la définition de l'adjectif, à force d'être répétée, devrait les aider à intégrer plus facilement cette caractéristique propre aux adjectifs français.

Bien sûr, on ne peut miser sur ce trait particulier quand l'adjectif prend un -*e* muet. Cependant, dès que le mot analysé comporte les autres propriétés de l'adjectif, par exemple il se dit bien après *il est/elle est* et exprime le comment, on peut déduire automatiquement qu'il finit par -*e* au féminin, même si on ne prononce pas ce -*e*. D'où : il est vrai/elle est vrai*e*; il est mûr/elle est mûr*e*; il est noir/elle est noir*e*; il est fini/elle est fini*e*.

Ce qui nous amène à la troisième partie de la définition qui s'applique à la très grande majorité des adjectifs.

3° L'adjectif répond à la question *comment?*

Exemples :

- Il est *comment?* Il est blond, propre, lavé, grand, lu, fourni, peureux, arraché, perdu, long, rouge, photographié, occupé, assis, frisé, retenu, regardé.

Donc, les mots suivants en italique ne peuvent pas être des adjectifs :

- Elles sont *derrière*. (Elles sont *où*? Derrière.)

- Ils sont *ici*. (Ils sont *où*? Ici.)

Ainsi, l'adjectif « vrai » exprime-t-il toujours le comment. On remarque que ce trait s'applique tout autant aux adjectifs qualificatifs qu'à la vaste majorité des participes passés. Autre avantage de cette caractéristique, elle permet de distinguer l'adjectif d'autres mots qui répondent plutôt à la question *où*, sans qu'il soit nécessaire d'en définir la nature, pour les fins de l'orthographe grammaticale.

Voyons maintenant la dernière partie de la définition.

4° À défaut de répondre à la question *comment?*, l'adjectif répond à la question *quoi?*

Jusqu'à maintenant, adjectifs qualificatifs et participes passés ont été confondus en une même définition, sans que leur repérage en souffre pour autant, puisqu'ils possèdent tous les mêmes caractéristiques. En ce sens, le programme de 1979 a eu raison de recommander de « traiter le participe passé employé seul ou avec *être* comme un adjectif qualificatif et de ne pas faire la distinction ». Hélas! il existe une vingtaine de participes passés qui n'expriment pas le comment et qui doivent cependant être accordés; ils comptent même parmi les plus fréquents à l'écrit. Ce sont en quelque sorte des « intrus ». Or, le programme ne précise nulle part comment les traiter; il importe de combler cette lacune. La dernière partie de la définition de l'adjectif tente de remédier à cette situation.

Les « intrus »

Il s'agit en fait de ces participes passés qui ont un sens actif lorsqu'ils sont employés avec *être* (c'est-à-dire que le sujet fait l'action exprimée par le verbe). Exemples : *allé*, *arrivé*, *venu*, etc., qui s'emploient toujours avec *être*, ou encore *retourné*, *sorti*, *monté*, etc., qui s'emploient assez souvent avec *être* au sens actif. Ils semblent répondre mieux à la question : *quoi?* qu'à la question : *comment?* Exemples : Ils sont *allés* au cinéma; ils sont *retournés* chez eux. La question : *comment?* convient mal ici et l'enfant risque alors d'écrire *ils sont allé* ou *ils sont retourné* (sic).

Voici la liste exhaustive de ces participes : *advenu, allé, arrivé, décédé, devenu, entré, intervenu, monté, mort, né, parti, parvenu, provenu, redevenu, reparti, reparu, resté, retombé, revenu, sorti, survenu, tombé* et *venu.* Comment l'élève les repérera-t-il à coup sûr, puisqu'ils ne répondent pas à la définition courante de l'adjectif fournie jusqu'ici? Tout d'abord, disons que ces « intrus » se font passer pour de vrais adjectifs, du fait qu'ils comportent certains éléments clés de ces derniers : en effet, ils se disent après *il est/elle est* et finissent par -*e* au féminin.

Cependant, en plus de ne pas exprimer le comment, ils se disent parfois plus ou moins bien *seuls* après *il est/elle est.* Par exemple, si on dit : *il est allé/elle est allée* ou *il est devenu/elle est devenue*, on peut avoir l'impression qu'on reste alors en suspens, que ces expressions « ne se disent pas bien toutes seules ». Partagé entre une moitié de définition qui convient et une autre qui ne convient pas, que fera l'enfant? Devra-t-il apprendre par cœur la liste de la vingtaine d'« intrus », au risque de les oublier?

Non. La réponse est plus simple : il n'aura qu'à se demander si le mot repéré qui le laisse perplexe exprime le quoi au lieu du comment. Si oui, le mot est bel et bien un « intrus » qu'on doit alors traiter comme un simple adjectif. Sinon, ce n'en est pas un.

Exemple : *Ils sont allé(?) au cinéma.* On a tendance à se poser la question : *Ils sont... quoi?* plutôt que *ils sont... comment? Allé(?) au cinéma.* C'est donc un « intrus » qui s'accorde comme un simple adjectif : *ils sont allés.* Comme on le constate, la dernière partie de la définition permet d'iden-

tifier les « intrus », sans passer par la reconnaissance de
l'auxiliaire *être*, à tous les temps et à tous les modes.

Notons que le même raisonnement s'applique aux cas
suivants :

• Ils sont *arrivés* à sept heures.
• Les pompiers sont *entrés* dans l'édifice en flammes.
• Ils sont *montés* nous voir.
• Ils sont *partis* tôt hier soir.
• Ils sont *restés* jusqu'à dix heures.
• Ils sont *revenus* aussitôt.
• Elles sont *sorties* ensemble hier.
• Elle est *tombée* et elle s'est fait mal.
• Ils sont *venus* avec nous.

Je conviens qu'il se peut fort que des élèves plus faibles
en français ne s'embarrassent pas de la distinction introduite
ici entre les questions *quoi?* et *comment?* et croient, à tort,
que ces mots répondent tout bonnement à la question
comment? Exemple : Ils sont *comment? Venus avec nous* (sic) !
Il est possible cependant que certains enfants plus forts sur
le plan logique trouvent que la question *comment?* ne s'applique pas. Mieux vaut alors les avertir qu'il s'agit là
d'« intrus ». Cela est d'autant plus important que ces participes comptent parmi les plus fréquents à l'écrit et qu'ils
risquent donc de provoquer des erreurs nombreuses.

Autres problèmes inhérents à l'enseignement actuel

Premier problème donc, *la définition de l'adjectif* qu'on
fournit aux élèves à l'heure actuelle est généralement floue
et pas assez fonctionnelle : elle tourne autour de l'idée que

l'adjectif accompagne un nom et exprime le comment. Par ailleurs, le concept d'adjectif n'est pas univoque puisque, à côté de l'adjectif qualificatif, on retrouve des adjectifs possessifs, démonstratifs, numéraux, etc., dont on ne voit pas très bien ce qui en fait de réels adjectifs.

Cependant, une définition inadéquate de l'adjectif est loin de constituer le seul problème de l'enseignement actuel de l'accord de l'adjectif et du participe passé. Autre sujet de difficulté : *la distinction entre adjectif épithète et adjectif attribut*. C'est-à-dire entre l'adjectif placé avant ou après le nom, et qui s'accorde avec ce nom, et l'adjectif attribut, séparé du sujet par le verbe *être* (ou par tout autre verbe d'état), et qui s'accorde quant à lui avec le sujet du verbe. On voit d'ici les connaissances complexes qu'implique ce dernier type d'accord. Même si beaucoup d'enseignants, semble-t-il, ne prononcent plus le terme abstrait « attribut », à peu près tous cependant se sentent obligés d'enseigner le verbe *être* à tous les temps et à tous les modes principaux, pour que l'élève réalise cet apprentissage.

Les problèmes ne s'arrêtent pas là. Plus tard dans la scolarité, voici la gamme des nouveaux concepts auxquels on est obligé présentement d'initier les jeunes : 1° pour faire l'accord de l'attribut, reconnaissance des verbes d'état autres que *être*, par exemple, *paraître, sembler, devenir, demeurer, rester*, etc. ; 2° pour faire l'accord du fameux participe passé avec l'auxiliaire *avoir*, reconnaissance de cet auxiliaire bien sûr, mais aussi du *complément direct*, puis des compléments *indirect* et *circonstanciel* (pour être sûr de ne pas les confondre avec le premier !) ; 3° enfin, *substitution* de l'auxiliaire *avoir* à l'auxiliaire *être* pour pouvoir faire correctement l'accord du participe passé des verbes pronominaux, quitte alors à aboutir, dans des expressions du type : *elle s'est habillée*, à des raisonnements aussi élégants que : *elle a habillé elle* !

Questions insidieuses

Voici maintenant la question qu'on a rarement osé poser : ces concepts et procédures aussi nombreux que disparates (voire rebutants!) sont-ils tous vraiment pertinents et utiles? Avant de répondre, considérons d'abord les exemples concrets suivants :

1. Les matières *enseignées* l'an dernier...
2. Les matières qui ont été *enseignées* l'an dernier...
3. Les matières que j'ai *enseignées* l'an dernier...
4. Ces matières semblent *enseignées* dans toutes les écoles cette année.
5. *Enseignées* cette année dans toutes les écoles, ces matières...
6. Ces matières se sont *enseignées* dans toutes les écoles l'an dernier;
7. ... il les trouve cependant mieux *enseignées* cette année.

Dans tous ces cas, est-ce que ce ne sont pas toujours *les matières* qui sont *enseignées*? N'existe-t-il pas, sur le plan logique, une grande analogie entre tous ces cas de participes?

Or, observons ce qu'enseigne la grammaire traditionnelle à leur propos. Les participes passés en question s'accordent, selon le cas : tantôt avec le *nom* (nos 1 et 5), tantôt avec le *sujet* du verbe *être* ou d'un autre verbe d'état (nos 2 et 4), tantôt enfin avec le *complément direct* placé avant le participe passé (no 3).

Dans le cas du no 6, impliquant le participe passé d'un verbe pronominal passif, on ne peut, bien sûr, faire la substitution de l'auxiliaire *avoir* à l'auxiliaire *être*, car elle aboutit au non-sens suivant : *les matières ont enseigné elles*! La grammaire traditionnelle nous apprend donc qu'exceptionnellement, dans un tel cas, le participe passé s'accorde... avec le sujet, ce qui ne contribue pas à simplifier la tâche de l'élève ! Enfin, pour solutionner le n° 7, *il les trouve mieux enseignées*, le verbe *trouver* pouvant difficilement être classé parmi les verbes d'état, la même grammaire traditionnelle s'en tire par une pirouette : le participe serait alors... un attribut s'accordant (eh oui !) avec le complément direct d'un verbe d'action...

Et cela, alors que, dans tous ces exemples, le participe *enseignées* a la même valeur sur le plan logique. Ce qui ressort de la grammaire traditionnelle, c'est que, dans certains cas, elle fait référence à la *nature* du mot qui commande l'accord (le nom), dans les autres cas, à sa *fonction* (sujet et complément direct). Mais est-ce logique ? Est-ce surtout pertinent ? Ce n'est pas parce qu'on a toujours enseigné de cette façon que l'explication fournie est nécessairement juste. (Souvenons-nous de Galilée...)

N'a-t-on pas compliqué à outrance ces règles d'accord ? Et s'il y avait moyen de les enseigner différemment, de façon beaucoup plus rationnelle et beaucoup plus simple ? Voilà en tout cas l'hypothèse que j'ai formulée il y a quelques années, et qui s'avère, au terme d'une longue recherche, fournir aujourd'hui la clé du problème. Entendons-nous bien : je n'ai l'intention de modifier ni d'abolir aucun des accords existants. Je me contente ici de fournir une explication différente des diverses règles, à la fois plus cohérente et plus accessible aux élèves, même au cours primaire ; elle sera du même coup plus accessible à tous ces allophones qui peinent sur l'orthographe grammaticale de notre langue, de même qu'à ces pauvres étudiants condamnés aujourd'hui à suivre des cours de rattrapage en orthographe !

Plus simple et plus logique, le nouvel enseignement proposé comporte un autre avantage non négligeable : il pourra être dispensé beaucoup plus rapidement que ce n'est le cas présentement. Dès la fin du primaire, les enfants maîtriseront aisément les règles relatives à 98% de tous les adjectifs et participes passés qu'ils écrivent, contrairement à environ 86% actuellement. C'est dire que, pour l'instant, ce sont à peu près 14% de cas résiduels – et non les moindres ! – qui doivent être pris en compte par le cours secondaire. Or, cette situation présente un inconvénient majeur dont, à ma connaissance, il est rarement question dans les discussions actuelles sur l'orthographe grammaticale.

En effet, faute d'avoir inscrit au programme du cours primaire l'accord du participe passé avec *avoir* dans les structures courantes, du type : *elle a acheté des fleurs* et *ils ont obéi*, nombre d'élèves entrent au secondaire en ayant développé la tendance à accorder alors le participe, soit avec le complément, soit avec le sujet ; ils écrivent, par exemple, *elle a achetée* et *ils ont obéis* (sic). En effet, sur les 26% de fautes relatives à ces cas, près de 40% sont de cet ordre (un autre 40% consistant en la finale *-er*). Ainsi, non seulement doit-on, à ce niveau d'études, leur enseigner pour la première fois les règles d'accord, tant des participes passés avec *avoir* que ceux des verbes pronominaux, mais encore faut-il lutter contre cette malencontreuse habitude qui s'est installée chez eux, à leur insu, depuis des années. Ce qui n'est pas de nature à simplifier la tâche des professeurs du secondaire qui, décidément, ont bien raison de se plaindre !

Intuitions de départ

À la base de la solution que je propose se trouvent deux intuitions. En premier lieu, en ce qui concerne le lien qui unit l'adjectif au nom auquel il se rapporte, y a-t-il vraiment une différence logique entre les expressions : *les matières ensei-gnées*, *les matières qui ont été enseignées* et *ces matières semblent enseignées* : dans tous les cas, ne s'agit-il pas de *matières qui sont enseignées*? Si le raisonnement est identique, le recours au concept de verbe *être* (ou d'auxiliaire *être*), de même qu'à celui de verbe d'état autre que *être*, n'est-il pas superflu?

En second lieu, le lien qui unit l'adjectif au nom auquel il se rapporte ne semble-t-il pas également identique dans les expressions *les matières que j'ai enseignées* et *les matières enseignées*? Dans les deux cas, encore une fois, ne s'agit-il pas de *matières qui sont enseignées*? Nous aboutissons donc exactement au même raisonnement qu'au paragraphe précé-dent. Se pourrait-il, dès lors, que le recours au concept de complément direct, central dans la grammaire traditionnelle, soit lui aussi superflu?

Ces idées ont surgi en moi à la lecture de l'ouvrage remar-quable d'André Chervel, déjà cité, ... *et il fallut apprendre à écrire à tous les petits Français – Histoire de la grammaire scolaire*. L'auteur y retrace, entre autres, l'apparition du concept de complément direct dans l'accord des participes passés. Je me permets de citer ici quelques extraits d'un article que j'ai publié, à l'automne 1989, dans la revue *Québec français*, dans lequel je résumais ces propos de Chervel qui, au départ, m'ont amenée à penser que l'explication fournie par la grammaire traditionnelle n'était peut-être pas aussi per-tinente et logique qu'on nous l'a toujours fait croire. Ce bref rappel historique est en effet fort éclairant.

Il est intéressant de noter qu'avant la Révolution française, les accords en *-s* au pluriel et en *-e* muet au féminin étaient audibles à l'oral, particulièrement dans l'aristocratie. Ainsi, comme le souligne Chervel, « le *i* de *ami* se prononçait bref dans *un ami* et long dans *des amis*[4] »; de la même façon, « l'accord du participe passé (...) était sensible oralement non seulement dans « La ville que j'ai prise », mais aussi dans « La ville que j'ai vu*e* », puisque *vue* comportait alors une longue qui s'opposait à la brève de *vu*[5] ».

Quand les bourgeois prennent le pouvoir, à la faveur de la Révolution française, supplantant l'aristocratie en place jusque-là, ils étendent bientôt la scolarisation à toutes les couches de la population, la plupart illettrées et souvent patoisantes. Or, la majorité de ces gens ne prononcent pas à l'oral les finales qui s'accordent au pluriel et au féminin. On pourrait décider de rendre les participes invariables, puisqu'on n'en marque plus l'accord à l'oral, ce que certains ne manquent pas de proposer. Mais le projet échoue. L'habitude de faire l'accord, à l'écrit, semble déjà si bien ancrée qu'on préfère plutôt chercher une justification, en particulier de l'accord du participe passé avec *avoir* : c'est alors qu'on recourt à la notion de complément direct, notion qui s'impose dès lors avec de plus en plus de vigueur[6].

Formulée pour la première fois vers 1750, reprise inlassablement depuis, à peu de variantes près, la règle en vertu de laquelle le participe passé avec *avoir* s'accorde avec « son complément direct placé avant lui » est adoptée rapidement dans toutes les écoles. Hélas! elle entraîne avec elle tout un cortège de concepts qui viendront peu à peu alourdir la grammaire scolaire, au grand dam d'innombrables écoliers. Car, puisqu'il faut désormais reconnaître le complément direct, il importe de bien le distinguer de tout ce qui n'en est pas un, entre autres du complément indirect. Celui-ci ne suffisant bientôt plus à justifier certains cas plus subtils d'accord ou

---

4. André CHERVEL, *op. cit.*, p. 35.
5. André CHERVEL, *op. cit.*, p. 43.
6. Josée VALIQUETTE, « L'accord du participe passé », *Québec français*, automne 1989, n° 75, p. 28.

de non-accord du participe, on crée de toutes pièces, entre 1845 et 1860, la notion de complément circonstanciel, inconnue jusqu'alors.

À la recherche, justifiée, de la nature des mots (verbe, nom, adjectif, etc.) et à celle de la fonction de sujet, essentielle à l'accord du verbe, s'ajoute alors, en analyse grammaticale, la recherche systématique de toutes ces autres fonctions, essentielles, croit-on, à l'accord des adjectifs et participes : attribut, complément direct, compléments indirect et circonstanciel. On en vient même bientôt à faire étiqueter soigneusement par les élèves les différents types de compléments circonstanciels : de temps, de lieu, de manière, etc., pour être bien sûr de ne jamais les confondre avec des compléments directs. Le moins qu'on puisse dire, c'est que les gens de l'époque ne recherchent pas une solution « amicale pour l'usager » !

Il ne faut pas sous-estimer l'impact de l'apparition, dans l'orthographe d'accord, du concept de complément direct : c'est lui qui est à l'origine de la grammaire des fonctions qui constitue un des grands piliers de l'enseignement grammatical depuis près de 150 ans. Voici quel jugement porte André Chervel sur cette « innovation » pédagogique :

La notion de fonction est aujourd'hui si intimement liée à celle de grammaire que nous avons peine à imaginer une conception de la langue qui ne lui accorderait pas cette importance majeure. Il faut bien pourtant se rendre à l'évidence : à quelques exceptions près, les fonctions des mots sont apparues au cours du XIXe siècle, voire du XXe, dans la grammaire scolaire. Et bien loin d'émaner d'une théorie linguistique d'origine spéculative, elles sont presque toutes issues d'un exercice scolaire d'apprentissage de l'orthographe. (...) L'appareil des fonctions de notre grammaire scolaire n'a pas grand-chose à voir avec une conception objective de la langue. Il est par contre bien adapté pour l'enseignement de l'orthographe[7].

Requiem pour un concept : le complément direct

Que la grammaire scolaire traditionnelle soit peu scientifique, à vrai dire on s'en doutait, à considérer tous les illogismes qu'elle comporte. Mais que, à l'exception de la fonction de *sujet*, la théorie des fonctions soit utile, voire « bien adaptée » à l'enseignement de l'orthographe, voilà ce que je conteste. Je crois, entre autres, qu'on aurait pu donner une explication de l'accord du participe passé avec *avoir* plus adéquate que celle du recours au concept de complément direct. Je m'explique.

Là où Chervel conclut que, malgré tous ses défauts, la solution proposée constitue peut-être, après tout, la meilleure façon d'expliquer cet accord, j'en arrive, pour ma part, à une conclusion divergente. Je m'appuie pour cela sur le raisonnement suivant, que j'explicitais récemment, dans l'article cité de *Québec français :*

Si cet accord fait appel à un raisonnement si complexe qu'il constitue depuis deux siècles la bête noire de notre enseignement grammatical, comment se fait-il que les aristocrates français du [début du] XVIIIᵉ siècle l'accordaient si facilement *à l'oral*, sans avoir jamais appris la règle, puisque celle-ci n'avait encore jamais été formulée ?

Quand on s'exprime d'abondance à l'oral, on n'a guère le temps d'appliquer consciemment des règles ! Comment les gens faisaient-ils alors pour bien marquer *spontanément* leurs accords ?

---

7.   André CHERVEL, *op. cit.*, p. 153.

Se pourrait-il que les grammairiens scolaires se soient fourvoyés en proposant l'explication alambiquée que l'on connaît et, en conséquence, que le passage par le complément direct ne soit pas une voie obligée?

En y réfléchissant, j'en suis venue à l'idée que l'intuition des aristocrates de l'Ancien Régime, qui leur faisait accorder sans problème *à l'oral* des participes en apparence complexes, tenait à cet aspect du « génie » de notre langue en vertu duquel **les adjectifs et participes passés s'accordent *toujours* quand ils sont placés : 1° entre le déterminant et le nom; 2° *après* le nom ou le pronom auquel ils se rapportent.** Or, ces deux règles, simples et logiques, ne supposent aucun recours au concept de complément direct[8]!

Ajoutons à cela un autre trait du génie de notre langue et on obtient, en guise d'hypothèse, une troisième et dernière règle générale régissant l'accord des participes passés : **3° le participe n'agit pas comme adjectif et ne s'accorde pas quand il est situé *avant* le déterminant et le nom (ou le pronom) auquel il se rapporte.**

L'enseignement de l'accord de l'adjectif et du participe : revu et corrigé

En fonction de cette hypothèse, voici quels pourraient être les fondements d'un enseignement renouvelé de l'accord des adjectifs et des participes passés.

1° Dans tous les cas, l'adjectif ou le participe (quand ce dernier commande une règle d'accord) s'accorde *avec le nom*

---

8. Josée VALIQUETTE, « L'accord du participe passé », *Québec français*, automne 1989, n° 75, p. 29.

ou le pronom auquel il se rapporte, et non tantôt « avec le nom », tantôt « avec le sujet du verbe » et tantôt « avec le complément direct placé avant lui ».

2° Dans un premier temps, tous les mots du texte qui correspondent à la définition donnée plus haut sont considérés comme des adjectifs potentiels ou présumés, jusqu'à preuve du contraire. Exemples :

1. Tu as une *joli(?)* montre.
2. Les pays les plus *riche(?)*...
3. Le mot est *effacé(?)*.
4. Il connaît mes sœurs. Il les trouve *charmante(?)*.
5. Elle a *mangé(?)* des pommes.
6. Il s'est *acheté(?)* deux cassettes.
7. Après le dîner, elle a *lu(?)*.
8. Ces livres se sont bien *vendu(?)*.
9. Les émissions que j'ai *regardé(?)*...
10. Mes amies se sont *assis(?)* à l'arrière de la salle.
11. Camper est *agréable(?)*.

Tous les mots ici en italique sont considérés au départ comme des adjectifs *présumés* ; en effet, dans chaque cas, il s'agit bel et bien d'*un* mot qui, en français, se dit après *il est/elle est*, finit par *-e* au féminin et exprime le comment ou le quoi. Comme on le remarque, ceci vaut pour tous les cas, même les cas 5 : *il est mangé/elle est mangée*, 6 : *il est acheté/elle est achetée* et 7 : *il est lu/elle est lue*.

3° Pour trouver à quel nom ou pronom l'adjectif présumé se rapporte, on se pose une question, toujours la même : *qui est-ce qui est*...*? ou *qu'est-ce qui est*...*? (Noter l'analogie entre cette question et celle, légèrement différente, qui sert à trouver le groupe nominal sujet, à savoir : *qui est-ce qui*...*? ou *qu'est-ce qui*...*?)

Appliquons cette question à chacun des exemples mentionnés plus haut :

1. *Qu'est-ce qui est joli?* La montre.
2. *Qu'est-ce qui est riche?* Les pays.
3. *Qu'est-ce qui est effacé?* Le mot.
4. *Qui est-ce qui est charmante?* Les (mis pour mes sœurs).
5. *Qu'est-ce qui est mangé?* Des pommes.
6. *Qu'est-ce qui est acheté?* Des cassettes.
7. *Qu'est-ce qui est lu?* Rien, la phrase ne le dit pas.
8. *Qu'est-ce qui est vendu?* Des livres.
9. *Qu'est-ce qui est regardé?* Des émissions.
10. *Qui est-ce qui est assis?* Mes amies.
11. *Qu'est-ce qui est agréable?* Camper.

Comme on le constate, les questions *qui?* et *quoi?* n'ont plus cours dans cette nouvelle pédagogie; elles cèdent le pas à une question unique, universelle : *Qui est-ce qui est?* (ou sa variante : *Qu'est-ce qui est?*). C'est sans doute là l'aspect le plus déroutant, pour nous adultes, de la nouvelle analyse grammaticale proposée, conditionnés que nous sommes depuis l'enfance à nous poser les questions *qui?* et *quoi?*

Notons que, pour faciliter la tâche aux élèves, il vaut mieux toujours faire faire le raisonnement au présent de l'indicatif (qui est-ce qui *est?* ou qu'est-ce qui *est?*), quel que soit le temps ou le mode de verbe employé dans la phrase, et de toujours employer le verbe *être* dans la question, même en présence d'une phrase qui comporte un verbe d'état autre que *être*. De la même façon, il est préférable de faire faire le raisonnement à la forme affirmative, même s'il s'agit d'une phrase négative. Ainsi, dans la phrase : *Ces élèves ne semblaient pas malade(?)*, l'élève se posera la question : qui est-ce qui *est* malade? Le conditionnement sera beaucoup plus fort si la question est *toujours la même*, et... les résultats s'en ressentiront !

4° Une fois trouvé le nom ou pronom auquel l'adjectif se rapporte, c'est la place occupée par l'adjectif présumé par rapport à ce nom ou pronom qui indique s'il y a lieu ou non de faire l'accord. Trois cas principaux se présentent qui donnent naissance aux trois règles de base citées précédemment, à titre d'hypothèse.

Règle n° 1 : En français, l'adjectif s'accorde toujours quand il est placé *entre* le déterminant et le nom.

Donc, l'adjectif s'accorde dans : Tu as une *joli(?)* montre.

Règle n° 2 : L'adjectif s'accorde quand il est placé *après* le nom ou le pronom auquel il se rapporte.

Donc, l'adjectif s'accorde dans :

Les pays les plus *riche(?)*...
Le mot est *effacé(?)*.
Il les trouve *charmante(?)*.
Ces livres se sont bien *vendu(?)*.
Les émissions que j'ai *regardé(?)*...
Mes amies se sont *assis(?)* à l'arrière de la salle.
Camper est *agréable(?)*.

Règle n° 3 : L'adjectif présumé n'agit pas comme adjectif et donc il ne s'accorde pas, quand il est placé *avant* le déterminant et le nom ou le pronom auquel il se rapporte ou, encore, quand il ne se rapporte à aucun nom ni pronom.

Donc, l'adjectif présumé n'agit pas comme adjectif et ne s'accorde pas, dans :

Elle a *mangé* des pommes.
Il s'est *acheté* deux cassettes.
Elle a *lu*.

On laisse les participes *mangé*, *acheté* et *lu* tels quels et on ne s'en occupe plus.

Il n'existe que de très rares exceptions à ces trois règles de base, exceptions auxquelles nous nous attarderons longuement plus loin. Mais auparavant, pour avoir dès maintenant une vue d'ensemble de cette nouvelle approche pédagogique, voyons immédiatement comment procéder d'une façon « amicale pour l'usager » pour trouver l'accord précis à faire dans les cas qui obéissent aux règles 1 et 2.

Raisonnements simples pour faire l'accord

Pour trouver l'accord qui convient, rien de plus simple ! Il suffit de faire suivre le nom (ou pronom) trouvé de celui des raisonnements suivants qui s'applique :

- C'est eux qui sont... : finale -*s* ou -*x*.
- C'est elles qui sont... : finale -*es*.
- C'est elle qui est... : finale -*e*.

- C'est lui qui est... : pas de marque d'accord
- C'est ça qui est... : pas de marque d'accord.

Tu as une *joli(?)* montre.
La montre, *c'est elle qui est* jolie : donc -*e*.

Les pays les plus *riche(?)*...
Les pays, *c'est eux qui sont* riches : donc -*s* (car il ne s'agit pas d'un pluriel en -*x*).

Le mot est *effacé(?)*.
Le mot, *c'est lui qui est* effacé : donc, pas de marque d'accord.

Il les trouve *charmante(?)*.
Les, c'est-à-dire mes sœurs, *c'est elles qui sont* charmantes : donc -*es*.

Ces livres se sont bien *vendu(?)*.
Les livres, *c'est eux qui sont* vendus : donc *-s*.

Les émissions que j'ai *regardé(?)*...
Les émissions, *c'est elles qui sont* regardées : donc *-es*.

Mes amies se sont *assis(?)* à l'arrière de la salle.
Mes amies, *c'est elles qui sont* assises : donc *-es*.

Camper est *agréable(?)*.
Camper, *c'est ça qui est* agréable : donc pas de marque d'accord.

Comme on le voit, après avoir fait le raisonnement qui convient, il ne reste plus à l'élève qu'à vérifier s'il a bien inscrit la bonne finale, indiquée automatiquement par le raisonnement approprié (sauf dans le cas des finales entraînées par *c'est eux qui sont...*, où il y a un choix à opérer entre *-s* et *-x*).

Notons qu'il existe quatre mots qui risquent de causer problème aux élèves, car ils semblent être des adjectifs, alors qu'ils n'en sont pas. Ce sont : *pour*, *contre*, *mal* et *ainsi*. Bien sûr, trois de ces quatre mots ne finissent jamais par *-e*, mais comment le scripteur débutant peut-il en être sûr? Ne se pourrait-il pas qu'il faille écrire : *elle est poure, elle est male* et *elle est ainsie* (sic)? Quant au mot *contre*, il se termine bel et bien par *-e*. Ces mots sont trompeurs, car ils expriment tous le comment et complètent bien les expressions : *C'est eux qui sont...*, *c'est elles qui sont...* et *c'est elle qui est...* Mieux vaut donc les présenter comme des exceptions, ce qui explique qu'on écrive : *ils sont pour, ils sont contre, ils sont mal* et *ils sont ainsi*.

Certains se demanderont peut-être si, dans les raisonnements suggérés, il est juste de dire *c'est eux/c'est elles* plutôt que *ce sont eux/ce sont elles*? Dans son ouvrage *Le Bon Usage*, Grevisse souligne que le singulier *c'est eux/c'est elles* s'emploie bien, tout en étant beaucoup plus courant dans la langue familière que dans la langue littéraire[9]. Puisque l'élève fait ce raisonnement dans sa tête, il ne s'agit évidemment pas d'une situation littéraire. Comme une formulation familière peut lui faciliter la tâche, il semble plus pertinent qu'il emploie le verbe au singulier.

Productivité de la nouvelle approche

Jusqu'ici, l'analyse grammaticale proposée semble assez simple pour l'élève. Cependant, le critère de la place occupée par l'adjectif présumé sera-t-il suffisant pour rendre compte de *tous* les cas d'accord qui peuvent se présenter? Pour m'en assurer, j'ai d'abord procédé à un inventaire de toutes les structures françaises dans lesquelles on retrouve un adjectif ou un participe. Puis j'ai eu l'idée de vérifier le taux d'utilisation que font les élèves de 6e année de chacune de ces structures. Ceci dans le but de découvrir quel pourcentage des cas utilisés par les élèves à la fin du cours primaire est réglé par le simple recours aux trois règles de base énoncées plus haut.

Cette étude spécifique a porté sur 1 000 adjectifs et participes, recensés dans 81 copies d'élèves provenant de 12 commissions scolaires différentes du Québec. Précisons que, dans cette recherche, tous les adjectifs et participes rencontrés dans les textes ont été analysés, et non seulement ceux commandant une marque d'accord particulière, comme dans l'étude, mentionnée plus haut, portant sur les fautes des élèves.

---

9. Maurice GREVISSE, *op. cit.*, p. 958, n° 1975, N.B.

Le tableau qui suit présente donc l'ensemble des structures françaises dans lesquelles peuvent entrer un adjectif et un participe passé. Chacune d'elles est assortie du taux d'utilisation qu'en font les élèves de 6ᵉ année du primaire, ce qui permet d'établir leur importance relative pour le scripteur. Notons que les exemples comportant ici des noms communs ou des pronoms auraient pu être remplacés chaque fois par d'autres exemples comportant plutôt des noms propres. Ainsi, le nᵒ 4 aurait pu se lire : *Jacques et François semblent malades*, plutôt que *Ces élèves semblent malades*. De la même façon, comme on le voit dans cet exemple, les adjectifs et participes auraient pu se rapporter à plusieurs noms (ou pronoms), plutôt qu'à un seul. On se rendra compte, à la lecture, de l'importance primordiale du concept de *déterminant* dans l'accord des adjectifs et participes passés.

Pour se familiariser avec l'esprit de la nouvelle grammaire scolaire proposée, il est conseillé, à chaque exemple du tableau, de chercher à quel nom ou pronom l'adjectif se rapporte, en se posant la question : *qui est-ce qui est...?* ou *qu'est-ce qui est...?* tout en chassant soigneusement de son esprit les questions *qui?* et *quoi?* qui n'ont plus cours dans la nouvelle pédagogie suggérée.

**Fréquence d'utilisation
des adjectifs et des participes passés,
dans 81 copies d'élèves de 6ᵉ année du primaire,
analysés en fonction d'une nouvelle grammaire**

Nombre d'adjectifs et de participes passés analysés : 1 000

**Règle nᵒ 1
EN FRANÇAIS, L'ADJECTIF S'ACCORDE TOUJOURS
QUAND IL EST PLACÉ
ENTRE LE DÉTERMINANT ET LE NOM**

déterminant + adjectif + nom

	Fréquence d'utilisation
1. Deux *petits* chiens	**21,4%**

**Règle nᵒ 2
L'ADJECTIF S'ACCORDE
QUAND IL EST PLACÉ
APRÈS LE NOM OU LE PRONOM AUQUEL IL SE RAPPORTE**

déterminant + nom (ou pronom) + adjectif

2. Des matières *enseignées* (ou Celles *enseignées*)	**25,0%**
3. Ses cheveux sont *bruns* (ou Ils sont *bruns.*)	**37,5%**
4. Ces élèves semblent *malades* (ou Ils semblent…)	**2,0%**
5. Mes amis se sont *amusés*, se sont *battus* (ou Ils…)	**1,3%**
6. Les livres que tu as *achetés* (ou Tu les as *achetés.*)	**2,8%**
7. Ma grand-mère s'est *laissée* mourir. (ou Elle…)	**0,0%**
8. S'étant bien *amusés*, mes amis… (ou ils…)[10]	**0,0%**

SOUS-TOTAL : 68,6%

SOUS-TOTAL CUMULATIF : 90,0%

10.   J'expliquerai en détail plus loin en quoi cette structure, inusitée chez les élèves de 6ᵉ année, se rattache bien à la deuxième règle de base.

Règle n° 3

**L'ADJECTIF PRÉSUMÉ N'AGIT PAS COMME ADJECTIF
ET DONC IL NE S'ACCORDE PAS, QUAND IL EST PLACÉ
AVANT LE DÉTERMINANT ET LE NOM OU LE PRONOM
AUQUEL IL SE RAPPORTE,
OU QU'IL NE SE RAPPORTE À AUCUN NOM NI PRONOM**

adjectif présumé	**+**	**déterminant + nom**	**(ou pronom)**
		ou	
adjectif présumé	**+**	**(rien)**	

	Fréquence d'utilisation
9. Ma sœur a *acheté* des fleurs.	
(ou Ma sœur a *acheté* celles qu'elle préférait.)	**6,6%**
10. Ma sœur s'est *acheté* des fleurs.	
(ou Ma sœur s'est *acheté* celles qu'elle voulait.)	**0,2%**
11. Mes frères ont *couru* (ou Ils...) (*Couru* ne se rapporte à rien.)	**0,8%**
12. Les airs qu'ils ont *entendu* jouer ou Mes amis se sont *laissé* convaincre.	**0,6%**
SOUS-TOTAL :	**8,2%**
SOUS-TOTAL CUMULATIF :	**98,2%**

Un mot ici à propos des structures 7 : *Ma grand-mère s'est laissée mourir* et 12 : *Les airs qu'ils ont entendu jouer*; *Mes amis se sont laissé convaincre*. Voici le raisonnement à effectuer dans de tels cas. Au n° 7, on se pose la question : *Qui est-ce qui est laissé?* Réponse : *Ma grand-mère* [en train de (sous-entendu)] *mourir*. Comme le premier mot de la réponse est placé avant le participe, ce dernier agit comme adjectif et s'accorde; on écrit donc : *laissée*. Dans le second cas, on se pose les questions : *Qu'est-ce qui est entendu ? Qui est-ce qui est laissé ?* Réponses : [Quelqu'un en train de (sous-entendu)] *jouer des airs*; [quelqu'un en train de (sous-entendu)] *convaincre mes amis*. Les mots *jouer* et *convaincre* étant respectivement placés après *entendu* et *laissé*, ces derniers n'agissent pas comme adjectifs et ne s'accordent pas[11].

Les raisonnements précédents sont assez complexes. Il semble donc raisonnable de ne pas les inscrire au programme avant le secondaire, même s'ils tombent sous le coup de la deuxième et de la troisième règle de base. Notons que, dans les copies d'élèves de 6e année, aucune occurrence de la structure 7 n'a pu être recensée, la structure 12, quant à elle, ne comptant que pour 0,6% des occurrences. Si l'on soustrait ce 0,6% du pourcentage total obtenu jusqu'ici, soit 98,2%, on aboutit tout de même à un total de 97,6% de tous les adjectifs et participes qui pourraient en principe être maîtrisés facilement à la fin de la 6e année, grâce aux trois règles de base énoncées. Ce n'est pas si mal, quand on songe qu'actuellement seules les structures 1, 2 et 3 sont enseignées systématiquement au primaire, aux termes du programme de 1979, pour un total d'un peu moins de 84% de cas maîtrisés...

Toutefois, si trois règles simples suffisent à régler environ 98% des cas d'accord d'adjectifs et de participes passés, sans qu'on n'ait à rechercher ni le sujet, ni le complément direct, il existe deux cas résiduels allant à l'encontre des règles énoncées, qu'il faut maintenant expliquer, pour compléter la théorie :

---

11. La récente réforme de l'orthographe, proposée en juin dernier par le premier ministre français, Michel Rocard, recommande l'invariabilité du participe passé *laissé* suivi d'un infinitif. Je suggérerais plutôt qu'on admette une tolérance sur ce cas complexe, dans le but de respecter la logique et la cohérence du système d'accord du participe passé exposé ici.

13. Mes voisins ont déménagé hier (ou Ils ont...)   **0,6%**
    Qui est-ce qui est déménagé? Mes voisins.
    La règle suggère donc l'accord, puisque l'adjectif pré-
    sumé est placé après le mot *voisins...*

14. Il trouve *élevés* les prix demandés ou
    Fatiguées d'attendre, elles sont parties.   **0,6%**
    La règle suggère l'invariabilité de l'adjectif (ou participe),
    puisque l'adjectif présumé est placé *avant* les nom et
    pronom *prix* et *elles...*

Un peu plus loin, j'indiquerai par ailleurs comment expliquer l'invariabilité de l'adjectif présumé dans les cas
suivants :

15. Ces deux frères se sont *succédé* à la tête de l'entreprise.   **0,3%**
16. La chose dont je t'ai *parlé...*   **0,3%**

TOTAL CUMULATIF : **100,0%**

J'en profiterai alors pour expliquer également le cas
complexe de l'accord des participes passés des verbes essentiellement pronominaux, dont la grammaire traditionnelle a
toujours eu la plus grande difficulté à rendre compte à l'aide
des concepts qui lui sont propres, alors qu'il est possible de
l'expliquer d'une manière beaucoup plus « amicale pour l'usager ».

Première exception : le participe passé qui s'emploie indifféremment avec *être* ou *avoir*

Dans le cas d'un participe passé avec l'auxiliaire *avoir*, il n'existe qu'une occasion, en français, où en réponse à la question *qui est-ce qui est...?* ou *qu'est-ce qui est...?*, on aboutit au sujet de l'action exprimée par le verbe, comme dans l'exemple cité plus haut : Mes voisins ont déménagé hier. *Qui est-ce qui est déménagé?* Mes voisins. Ceci ne survient que dans le cas bien particulier des verbes qui, appliqués à une même personne ou à une même réalité, peuvent s'employer soit avec l'auxiliaire *être*, soit avec l'auxiliaire *avoir*.

On pense à : *apparaître, déménager, évoluer, augmenter, divorcer, bronzer, crever, changer, atterrir*, etc. On peut dire, par exemple : *mon frère a bronzé* ou *est bronzé*; *mon pneu a crevé* ou *est crevé*; *les taches ont disparu* ou *sont disparues*; etc. Notons que ces verbes indiquent généralement le passage d'un lieu à un autre, d'un état à un autre.

Dans tous ces cas, le scripteur a *le choix* d'utiliser l'un ou l'autre auxiliaire, selon la nuance de sens qu'il entend exprimer. S'il écrit, par exemple, *ils ont déménagé*, c'est qu'il veut insister sur l'action posée; s'il écrit plutôt : *ils sont déménagés*, c'est qu'il veut insister sur le résultat de cette action. C'est uniquement dans ce dernier cas que le participe exprime réellement le comment ou le quoi et agit pleinement comme adjectif. C'est donc cette nuance de sens qu'implique le choix de l'auxiliaire qui justifie logiquement l'exception à la règle générale n° 2 que nous analyserons maintenant. Elle fait appel au concept d'auxiliaire *avoir*, auquel nous n'avons pas encore eu recours jusqu'ici dans l'accord des participes passés. Voici comment peut être formulée cette exception.

Exception à la règle n° 2

**L'ADJECTIF S'ACCORDE TOUJOURS QUAND IL EST PLACÉ
APRÈS LE NOM OU LE PRONOM AUQUEL IL SE RAPPORTE,
À UNE EXCEPTION PRÈS :**

**LE PARTICIPE PASSÉ EMPLOYÉ AVEC L'AUXILIAIRE *AVOIR*
NE S'ACCORDE JAMAIS AVEC LE SUJET DE L'ACTION
EXPRIMÉE PAR CE VERBE**

Exemple : Mes voisins ont déménagé hier.

Voici le raisonnement pertinent à faire dans un cas comme celui-ci. *Qui est-ce qui est déménagé?* Mes voisins. La règle suggère l'accord avec *voisins*, mais ce mot étant le sujet de l'action exprimée par le participe passé employé avec *avoir*, le participe n'agit pas comme adjectif. Pour que le mot *déménagé* agisse vraiment comme adjectif, il aurait fallu écrire : *Mes voisins sont déménagés*, puisqu'on avait alors le choix entre les deux auxiliaires.

Ainsi, cette règle d'exception n'a pas à être prise en compte chaque fois qu'on est en présence d'un participe passé employé avec *avoir*, mais seulement dans les rares occasions où, en réponse à la question : *qui est-ce qui est...?* ou *qu'est-ce qui est...?*, on aboutit au sujet qui fait l'action. Dans le corpus étudié, cela ne s'est produit que dans à peine 0,6% des occurrences. Les autres cas impliquant un participe passé employé avec l'auxiliaire *avoir* – soit, principalement, le cas 6 : *Les livres que tu as achetés* ou *Tu les as achetés* (2,8% des occurrences), le cas 9 : *Ma sœur a acheté des fleurs* ou *Ma sœur a acheté celles qu'elle préférait* (6,6% des occurrences) et le cas 11 : *Mes frères ont couru* ou *Ils ont couru* (0,8% des occurrences) – totalisent, quant à eux, 10,2% des occurrences et peuvent être maîtrisés par les élèves, sans aucun recours au concept d'auxiliaire *avoir*.

J'ai pris soin de préciser que le participe passé employé avec l'auxiliaire *avoir* ne s'accorde jamais *avec le sujet de l'action* (sujet logique), et non *avec le sujet du verbe* (sujet grammatical). Ceci, parce que cette règle s'applique aussi dans le cas d'une structure sans verbe conjugué, comme : *Mes voisins, ayant déménagé récemment...* On peut donc conclure que la règle orthographique obéit ici à la logique de la langue française, en vertu de laquelle le sujet d'une action, exprimée à l'aide d'un participe passé employé avec l'auxiliaire *avoir*, ne commande jamais la finale de ce participe, pour bien marquer la nuance de sens entraîné par *le choix* de l'auxiliaire *avoir* plutôt que de l'auxiliaire *être*, dans un cas de ce genre.

Deuxième exception : l'adjectif antéposé

Comment expliquer maintenant l'accord de l'adjectif, dans les cas du type :

- Il trouve *élevés* les prix demandés.
- *Fatiguées* d'attendre, elles sont parties.
- *Arrivés* là, les secouristes...
- Étant *partis* de bonne heure, ces élèves...
- *Âgée* de cinquante ans, elle...

Comme on le remarque, dans tous ces cas, l'adjectif présumé est placé *avant* le déterminant et le nom ou le pronom auquel il se rapporte et il agit bel et bien comme adjectif; c'est pourquoi je suggère de l'appeler : *adjectif antéposé*.

L'accord contrevient ici, de façon flagrante, à la règle n° 3 qui stipule que l'adjectif présumé ne s'accorde pas quand il est situé *avant* le déterminant et le nom ou le pronom auquel il se rapporte. Pour solutionner ce problème, faudra-t-il recourir aux notions traditionnelles d'adjectif qualificatif et de participe passé employé seul ou avec *être*, alors qu'on a évité jusqu'ici de faire appel à ces concepts, et qu'on s'est gardé de parler d'accord de l'adjectif ou du participe avec le sujet? Cela ne sera pas nécessaire.

Pour rendre compte de l'accord de l'adjectif antéposé, il suffit d'ajouter un corollaire à la règle nᵒ 3 : cette règle ne s'applique qu'aux participes passés employés avec l'auxiliaire *avoir*, de même qu'aux participes passés des verbes pronominaux; dans les autres cas, l'adjectif présumé s'accorde *toujours*, où qu'il soit placé.

Précisons que ce ne sont pas tous les adjectifs situés *avant le nom* qui sont visés ici, l'accord de la majorité d'entre eux (de type : *les petits chiens*) ayant déjà été résolu à l'aide de la règle nᵒ 1, en vertu de laquelle l'adjectif s'accorde toujours quand il est placé *entre* le déterminant et le nom (21,4% de toutes les occurrences recensées dans le corpus étudié); cette première règle n'implique par ailleurs jamais de pronom. Il s'agit cette fois des adjectifs qui sont placés *avant le déterminant et le nom* (ou *le pronom*). Ils ne représentent qu'un pourcentage infime d'adjectifs (0,6% des occurrences du corpus étudié).

En effet, il est tout à fait exceptionnel, en français, de placer un adjectif ou un participe *avant le déterminant et le nom* (ou *le pronom*) auquel il se rapporte, car il en résulte alors une formulation propre à l'écrit. Cette structure, loin d'être utilisée couramment par tous les scripteurs, ne se retrouve généralement que sous la plume des seuls auteurs les plus compétents à l'écrit. J'ai constaté, par exemple, qu'on ne la rencontrait régulièrement que chez les romanciers, journalistes et éditorialistes aux idées les plus denses et au style le plus élégant.

L'adjectif antéposé permet de condenser habilement un plus grand nombre d'idées dans une même phrase, sans avoir recours à une lourde subordonnée, dans laquelle l'adjectif se retrouverait automatiquement en position habituelle, c'est-à-dire *après* le mot auquel il se rapporte. Comparons, par exemple : *Parce qu'ils sont arrivés trop tard sur les lieux, ils n'ont pu que constater le désastre* à : *Arrivés trop tard sur les lieux, ils n'ont pu que constater le désastre...* La deuxième formule est à la fois plus brève et plus élégante. Comparons maintenant : *Hier, à Québec, tous les ministres se sont rencontrés pour discuter de la situation* à : *Hier, à Québec, se sont rencontrés tous les ministres pour discuter de la situation.* La première formulation est beaucoup plus proche de la langue orale que ne l'est la seconde.

Sauf dans de rares exceptions (l'expression *rendus là* en début de phrase, par exemple), la présence d'un adjectif antéposé est toujours proche de la langue écrite formelle. Déjà Loban, aux États-Unis, dans sa remarquable étude[12] sur la maturité syntaxique de l'écrit chez les élèves de 6 à 16 ans, concluait que l'usage de la « participiale » (comme il l'appelle) est le propre uniquement des élèves à la fois les plus âgés (surtout ceux qui terminent le secondaire) et les plus doués.

Je me refuse, quant à moi, à appeler cette structure une « participiale », parce qu'elle comporte souvent des adjectifs qualificatifs plutôt que des participes. Exemples : *Rares sont ceux qui...* ; *contents de se revoir, ils...* ; *franches mais rusées, elles...* ; *seule une opération chirurgicale peut...* ; *âgés de soixante-dix ans, ils...* ; etc.

---

12. Walter LOBAN, *Language Development : Kindergarten through Grade Twelve*, NCTE Committee on Research Report, n⁰ 18, Urbana, Ill., National Council of Teachers of English, 1976.

Le participe passé des verbes pronominaux : un enseignement à revoir

Afin de bien comprendre l'ajout à la règle n° 3 nécessaire pour prendre en compte l'accord de l'adjectif antéposé, il convient – même si la chose n'est pas évidente au premier abord – de faire une incursion dans le domaine des participes passés des verbes pronominaux. On a vu plus haut que, quant à lui, le participe passé avec *avoir* ne s'accorde jamais avec le sujet de l'action exprimée par ce verbe. C'est pourquoi, dans un énoncé comme : *Ayant déménagé récemment, mes voisins…*, le participe *déménagé* n'agit pas comme adjectif. Mais qu'en est-il du participe passé des verbes pronominaux ?

Observons les cas suivants :

- S'étant *rendu* mutuellement service, elles…
- S'étant *rendues* rapidement sur les lieux, elles…
- S'étant *trouvés* sans emploi, ces ouvriers…
- S'étant *trouvé* des emplois, ces ouvriers…
- S'étant *expliqué* longuement, ils…
- Se sont *réunis* hier tous les ministres concernés.

Comment expliquer l'accord ou le non-accord du participe passé dans ces divers cas ? Serons-nous obligés de réintroduire en douce le recours au complément direct pour justifier la finale des divers participes ? Non. C'est le recours à la nature même du verbe pronominal qui fournira la clé de l'énigme, et cela de manière beaucoup plus satisfaisante, sur le plan logique, que toutes les élucubrations de la grammaire scolaire traditionnelle à ce propos. Je m'explique.

Qu'est-ce qu'un verbe pronominal ? C'est un verbe accompagné de deux mots (ou plus) qui désignent le même être, la même réalité. Par exemple, dans l'expression : *je me couche*, les mots *je* et *me* désignent tous deux *moi*. Dans : *la voiture s'arrête*, les mots *voiture* et *s'* désignent tous deux *elle*. Dans : *Pierre et Thierry se sauvent*, les mots *Pierre*, *Thierry* et *se* désignent tous trois *eux*. Dans : *ceux et celles qui se sont inscrits*, les mots *ceux*, *celles* et *se* désignent tous trois *eux*. Comme on le constate, un verbe pronominal est essentiellement accompagné soit d'au moins un nom et un pronom, soit d'au moins deux pronoms.

Généralement, ces nom(s) et pronom(s) se trouvent placés devant le verbe, aussi ne causent-ils aux élèves aucun problème d'accord du participe. Exemples : *mes amis se sont sauvés* et *ceux et celles qui se sont inscrits...* Qui est-ce qui est *sauvé*? qui est-ce qui est *inscrit*? Avant que l'élève soit initié au concept de verbe pronominal, il répondra simplement, dans le premier cas : *mes amis* et, dans le second : *ceux et celles*. Ces mots étant placés dans les deux cas avant l'adjectif présumé, il conclura automatiquement qu'on doit accorder l'adjectif, puisque la règle n° 2 s'applique et qu'on peut dire : mes amis, *c'est eux qui sont sauvés*; ceux et celles, *c'est eux qui sont inscrits*.

Cependant, pour être plus justes sur le plan logique, les réponses aux questions : *qui est-ce qui est sauvé?* *qui est-ce qui est inscrit?* devraient se lire : dans le premier cas, *mes amis* et *se* et, dans le second, *ceux et celles* et *se*. Notons que cette particularité du verbe pronominal ne prend une importance, en orthographe grammaticale, que dans le cas suivant : *S'étant cachés dans la forêt, ces soldats échappèrent à leurs poursuivants.*

En effet, qui est-ce qui est *caché*? C'est à la fois *s'* et *ces soldats*, puisqu'il s'agit d'un verbe pronominal. Comme au moins l'un des deux mots qui désignent les mêmes personnes, soit le *s'*, est placé *avant* l'adjectif présumé, celui-ci s'accorde comme chaque fois que s'applique la règle n° 2. On conclut donc que s' (désignant *les soldats*), *c'est eux qui sont cachés* et que, par conséquent, *cachés* prend la finale -*s*, sans qu'on ait besoin de recourir, pour cela, au concept de complément direct et, encore moins, à la substitution de l'auxiliaire *avoir* à l'auxiliaire *être*.

Notons que nous ne sommes nullement en présence ici d'un adjectif antéposé, puisque le mot *caché* est bel et bien placé *après* le pronom auquel il se rapporte, soit *s'*. Ce cas particulier exigeant un raisonnement plus complexe, il ne devrait faire objet d'apprentissage qu'au secondaire, ce qui est d'autant plus fondé que cette structure est rare. Rappelons, en effet, qu'aucun cas de ce genre n'a été relevé dans les textes étudiés provenant d'élèves du primaire.

Revenons maintenant aux exemples cités plus haut :

* S'étant *rendu* mutuellement service, elles...
* S'étant *rendues* rapidement sur les lieux, elles...
* S'étant *trouvés* sans emploi, ces ouvriers...
* S'étant *trouvé* des emplois, ces ouvriers...
* S'étant *expliqué* longuement, ils...
* Se sont *réunis* hier tous les ministres concernés.

On comprend désormais que trois de ces exemples font appel au raisonnement précédent et tombent tout simplement sous le coup de la règle générale n° 2 :

* S'étant *rendues* rapidement sur les lieux, elles...
* S'étant *trouvés* sans emploi, ces ouvriers...
* Se sont *réunis* hier tous les ministres concernés.

En effet, dans le premier cas, qui est-ce qui est *rendu* (sur les lieux)? C'est *s'* et *elles*. Dans le second cas, qui est-ce qui est *trouvé* (sans emploi)? C'est *s'* et *ces ouvriers*. Dans le troisième cas, qui est-ce qui est *réuni*? C'est *se* et *tous les ministres*. Chaque fois, l'un des mots de la réponse est placé avant l'adjectif présumé : celui-ci s'accorde alors comme tout adjectif placé après le nom ou pronom auquel il se rapporte.

Analysons maintenant les trois cas qui restent :

- S'étant *rendu* mutuellement service, elles...
- S'étant *trouvé* des emplois, ces ouvriers...
- S'étant *expliqué* longuement, ils...

Dans les deux premiers cas : qu'est-ce qui est *rendu*? *un service*; qu'est-ce qui est *trouvé*? *des emplois*. La réponse tient en un seul nom placé *après* le participe; ce dernier n'agit donc pas comme adjectif et ne prend pas de marque d'accord. Dans le dernier cas : qu'est-ce qui est *expliqué*? Rien, la phrase ne le dit pas. L'adjectif présumé n'en est alors pas un et on ne s'en occupe plus. Comme on le voit, il s'agit là de conclusions auxquelles peuvent parvenir facilement des élèves du primaire, dès qu'ils sont en possession des trois règles de base.

Analyse de l'adjectif antéposé

Revenons maintenant à l'adjectif antéposé (*seule* ma mère...; *invitées* à la fête, elles...; étant *arrivés* tôt, ils; etc.). Comment en expliquer l'accord de la façon la plus « amicale pour l'usager »? Pour y voir clair, rappelons d'abord la règle générale n° 3 à laquelle contrevient ce type d'adjectif :

Règle n° 3

L'ADJECTIF PRÉSUMÉ N'AGIT PAS COMME ADJECTIF ET DONC IL NE S'ACCORDE PAS, QUAND IL EST PLACÉ *AVANT* LE DÉTERMINANT ET LE NOM OU LE PRONOM AUQUEL IL SE RAPPORTE, OU QU'IL NE SE RAPPORTE À AUCUN NOM NI PRONOM

Les cas qui tombent sous le coup de cette règle sont, d'une part, tous les participes passés employés avec l'auxiliaire *avoir*, d'autre part, tous les participes passés des verbes pronominaux, et cela, chaque fois que la réponse à la question habituelle : *qui est-ce qui est ?* ou *qu'est-ce qui est ?* est placée après le participe. Ces cas sont très fréquents dans les textes des enfants (8,2% des occurrences recensées), alors que l'emploi d'un adjectif antéposé est environ quatorze fois plus rare (à peine 0,6% des occurrences).

C'est pourquoi la solution la plus appropriée consiste à ajouter un simple corollaire à la règle n° 3, au début du secondaire par exemple. Ce corollaire stipule que :

LA RÈGLE N° 3 NE S'APPLIQUE
***QUE* DANS LE CAS OÙ L'ON EST EN PRÉSENCE,**
SOIT D'UN PARTICIPE PASSÉ AVEC L'AUXILIAIRE *AVOIR*,
SOIT DU PARTICIPE PASSÉ D'UN VERBE PRONOMINAL ;
***AUTREMENT L'ADJECTIF S'ACCORDE TOUJOURS*.**

Si, au lieu d'enseigner tôt dans la scolarité l'accord de l'adjectif antéposé, comme cela se pratique souvent à l'heure actuelle (bien que le cas ne soit pas formellement au programme du primaire), on enseigne de préférence la règle générale n° 3, cela permettra à l'élève de bien orthographier 8,2% des participes passés qu'il emploie qui doivent rester invariables, participes du type : *ils ont acheté des fleurs*, *elle a couru* et *elle s'est acheté des gants*. On a vu plus haut l'inconvénient de n'enseigner aucune règle au primaire en ce qui concerne ces cas fréquents : plusieurs élèves prennent alors l'habitude d'accorder le participe, soit avec le sujet, soit avec le complément. Ils écriront, par exemple : *ils ont achetés des fleurs*, *elle a courue*, *elle s'est achetés des gants* (sic).

Il n'est pas grave au primaire de présenter la règle n° 3 comme une règle générale ne comportant qu'une exception « à apprendre plus tard », puisque à toutes fins utiles les élèves n'utilisent à peu près jamais d'adjectifs antéposés. Le corollaire, ajouté au secondaire, nécessite quant à lui l'initiation aux notions complexes de participe passé avec *avoir* et de verbe pronominal, deux concepts qui seront mieux compris du premier coup, si on les enseigne un peu plus tardivement dans la scolarité.

Pour comprendre le raisonnement que devront faire les élèves du secondaire, reprenons les exemples cités plus haut :

1. Il trouve *élevé(?)* les prix demandés.
2. *Fatigué(?)* d'attendre, elles sont parties.
3. *Arrivé(?)* là, les secouristes...
4. Étant *parti(?)* de bonne heure, ces élèves...
5. *Âgé(?)* de cinquante ans, elle...

Dans tous ces cas, dès que l'élève se rend compte qu'un adjectif présumé est situé *avant* le mot auquel il se rapporte (et que, par conséquent, la règle 3 devrait s'appliquer), il regarde rapidement si cet adjectif présumé est accompagné d'un auxiliaire *avoir* ou, encore, s'il fait partie d'un verbe pronominal. Dans le cas contraire, il accorde automatiquement l'adjectif avec le nom ou le pronom trouvé, où que soit situé cet adjectif par rapport à ce nom ou ce pronom. Ainsi, un coup d'œil suffit, dans les cas 1 à 5 cités plus haut, pour constater qu'il n'y a nulle part présence de l'auxiliaire *avoir* ni d'un verbe pronominal. L'élève applique donc les raisonnements habituels pour trouver l'accord à faire : *c'est eux qui sont élevés*, *c'est elles qui sont fatiguées*, etc.

Comment déterminer qu'il vaut mieux enseigner cette exception au secondaire plutôt qu'au primaire ? Ce choix ne découle pas d'une simple intuition de ma part. J'ai pris la peine de vérifier dans 500 textes d'élèves de fin de 6ᵉ année

la fréquence d'emploi de l'adjectif antéposé. Il n'est certes
pas exagéré d'affirmer que les élèves du primaire utilisent à
peine ce type d'adjectif : seuls 19 élèves (soit 3,8%) *ont pensé
à employer* cette structure syntaxique particulière, pour un
total de 21 adjectifs, ce qui confirme l'analyse de Loban quant
à son apparition tardive à l'écrit. Encore faut-il préciser que,
de ce nombre, seuls cinq adjectifs commandaient une règle
d'accord, tous les autres étant soit au masculin singulier, soit
au féminin singulier dont la finale est donnée à l'oral (*gentille,
généreuse, honnête*, etc.).

Comme je le soulignais dans le *Cahier pratique 33* de la
revue *Québec français* déjà citée :

> La fréquence d'emploi de l'*adjectif antéposé* est presque nulle
> chez les enfants du primaire, sans doute parce qu'il s'agit d'une
> tournure propre à l'écrit (sauf dans de rares expressions
> comme : *rendus là*). Seuls les professionnels de l'écriture *les
> plus habiles* l'utilisent régulièrement, pour rendre leur texte
> plus concis et plus élégant.

> Il serait bien plus approprié d'enseigner, aux élèves du secon-
> daire notamment, *à employer cette structure* pour améliorer la
> formulation de leurs textes, et d'en profiter alors pour leur faire
> apprendre l'accord de l'adjectif qu'elle contient. Cela serait, à
> n'en pas douter, bien plus utile que de leur enseigner les dif-
> férents types de compléments qu'ils maîtrisent déjà fort bien,
> tant à l'oral qu'à l'écrit. Malheureusement, comme la gram-
> maire traditionnelle n'a jamais considéré l'adjectif antéposé
> comme une structure particulière à prendre en compte, on n'a
> jamais pensé jusqu'ici à en faire un objet d'apprentissage[13] !

---

13.   Josée VALIQUETTE, « Réviser son texte à l'aide d'une grammaire nouvelle de l'adjectif », cahier pratique n° 33, *Québec français*, automne 1989, n° 75, p. 48.

« Chemin » direct ou indirect

Un mot d'explication maintenant au sujet de l'invariabilité de l'adjectif présumé dans les deux cas suivants, rares à l'écrit :

- Ils se sont *succédé* à la tête de l'entreprise. **0,3%**
- La chose dont je t'ai *parlé*...   **0,3%**

Disons tout de suite que, grâce à la définition de l'adjectif proposée plus haut, on règle, de la façon la plus simple, le problème de presque tous les participes passés de verbes intransitifs, puisque la plupart ne se disent pas après *il est/ elle est*. Par exemple, impossible de faire une phrase française commençant par *il est nui*, *il est souri*, *il est plu*, *il est menti*, *il est participé*, etc. Ainsi, dès le départ, l'enfant saura que *succédé* n'est pas un adjectif présumé dans : *Ces deux frères se sont succédé à la tête de l'entreprise*, puisqu'on ne peut pas dire : *il est succédé/elle est succédé*.

Ne demeurent donc que quelques participes passés, représentant à peine 0,3% des occurrences dans le corpus étudié, qui sont indifféremment transitifs ou intransitifs selon le cas, *parlé* par exemple. (La grammaire scolaire traditionnelle dirait plutôt qu'ils appellent tantôt « un complément direct », tantôt « un complément indirect ».) Les élèves pourraient achopper sur ce cas, écrivant par exemple : « les choses dont je t'ai *parlées* » (sic), « puisque ce sont les choses qui sont parlées » ! Comment éviter ce type de raisonnement fautif ?

Je suggère d'ajouter, au début du secondaire, à un moment où les élèves sont assez vieux pour comprendre ce concept du premier coup, une question additionnelle à se poser, après la question habituelle *qui est-ce qui est?* (ou *qu'est-ce qui est?*) : *Le chemin est-il direct de l'adjectif présumé au nom ou pronom auquel il se rapporte?*

Voici, à l'aide d'exemples, comment l'élève devrait procéder :

Les langues que j'ai parlé(?) le plus souvent en voyage sont l'anglais et l'espagnol.

« En français, est-ce qu'on parle quelque chose ? Oui, des langues, par exemple.

Ici, dans la phrase que je viens d'écrire, est-ce qu'on parle quelque chose ? Oui, des langues. Donc, qu'est-ce qui est *parlé* ? Les langues. Le chemin est direct de *parlé* à *langues* : *parlé* agit comme adjectif et s'accorde, s'il y a lieu, ce qui est le cas ici, puisqu'il est placé *après* le nom langues : les langues, c'est elles qui sont parlées. On écrit donc : *parlées.* »

Les deux langues dont je t'ai parlé(?) l'autre jour...

« En français, est-ce qu'on parle quelque chose ? Oui, des langues, par exemple.

Ici, dans la phrase que je viens d'écrire, est-ce qu'on parle quelque chose ? Non, on parle *de* quelque chose. Le chemin n'est pas direct de *parlé* à *langues*, donc l'adjectif présumé *parlé* n'en est pas un. En conséquence, on écrit : les choses dont je t'ai *parlé.* »

L'expression vulgarisée « chemin direct » recouvre le sens primitif de verbe « transitif », qui désignait à l'origine, d'après le dictionnaire Robert, « le passage direct du sujet à l'objet ». Malheureusement, sous l'influence de la grammaire traditionnelle, ce terme a été dénaturé, au point qu'on en est venu bientôt à parler de « transitif indirect » (sic), une véritable contradiction dans les termes ! Dans ces circonstances, reprendre avec les élèves le terme « transitif », mais en lui donnant un sens autre que celui qu'on lui attribue dans les codes grammaticaux et autres ouvrages de référence, pourrait prêter à confusion. Par ailleurs, l'expression imagée et concrète « chemin direct ou indirect » convient tout aussi bien au raisonnement à effectuer et elle aidera tous les élèves, même ceux qui éprouvent des difficultés d'apprentissage. D'où l'appellation suggérée ici.

Reprenons l'exemple : *Ces deux frères se sont succédé à la tête de l'entreprise.* Imaginons qu'un élève croie, à tort, qu'on peut dire : *il est succédé/elle est succédé* et retient, en conséquence, le mot *succédé* comme adjectif présumé. Il devra alors se poser la question sur le « chemin direct ou indirect » :

« En français, est-ce qu'on succède quelqu'un ? La réponse est évidente : non, on succède *à* quelqu'un. Donc ici le chemin n'est pas direct de *succédé* à *frères*. En conséquence, l'adjectif présumé *succédé* n'en est pas un et l'on ne s'en occupe plus. »

Notons que, d'une part, comme beaucoup de participes entraînant un complément indirect ne se disent pas après *il est/elle est*, et que, d'autre part, ce complément indirect est généralement placé *après* la plupart de ces participes (« le nom ou pronom est *après*, donc ça ne s'accorde pas »), le présent raisonnement sera sans doute rarement utilisé par les élèves. Ce qu'il serait le plus utile de leur enseigner alors, c'est le choix du mot ou de l'expression juste à employer pour remplacer les prépositions *à* et *de*, quand le nom ou pronom auquel le participe se rapporte est placé avant lui. C'est là le vrai problème des élèves. Ils écrivent par exemple : *la chose que tu m'as parlé, les olympiades que j'ai participé, les livres que j'ai eu besoin* (sic).

Pour ces cas où le « chemin est indirect » (en effet : « on parle *de*, on participe *à* et on a besoin *de* »), l'élève devrait être initié systématiquement à l'emploi juste du terme antéposé : *dont* et *en*, quand la préposition est *de*, et *à laquelle*, *auquel*, *auxquels*, *auxquelles*, de même que *y* [pour contrer des fautes du type : je m'*en* attends (sic)], quand la préposition est *à*. Cela serait sûrement plus utile que de leur faire repérer tous les compléments indirects, qui n'ont le plus souvent rien à voir avec le nom ou pronom auquel l'adjectif présumé se rapporte.

Prenons l'exemple suivant : *Il a offert(?) une bicyclette à sa fille*. Qu'est-ce qui est *offert*? Une bicyclette. La réponse est *après* l'adjectif présumé ; *offert* est donc invariable. Comme on le voit, on n'a absolument pas à se préoccuper du complément indirect *à sa fille*. Voici un autre exemple : *Ces lettres? Il les lui a remis(?)*. Qu'est-ce qui est *remis*? *Les*, mis pour *les lettres*. L'adjectif est *après* le mot *les*, donc il s'accorde. *Les* (mis pour *les lettres*), c'est elles qui sont *remises*. Là encore, on constate que le mot *lui* n'a même pas à être pris en compte.

Accord du participe passé des verbes essentiellement pronominaux

Y a-t-il cas plus mystifiant pour le scripteur que celui de l'accord du participe passé des verbes essentiellement pronominaux? Même en consultant les ouvrages de référence les plus savants, on ne trouve souvent pas d'explication adéquate au problème auquel on fait face. Quand on doit enseigner ce cas aux élèves, inutile de dire que c'est pire encore! Par exemple, les participes suivants s'accordent-ils ou non et pourquoi?

- *Elles se sont aperçu(?) de leur erreur.*
- *Ils se sont souvenu(?) de nos recommandations.*
- *Elle s'est évanoui(?).*
- *Elles s'y sont pris(?) de travers.*

- *De riches industriels se sont approprié(?) ces terrains.*
- *Ils ne s'en sont pas douté(?).*

Je me suis amusée à donner de tels participes en dictée à certains collègues et amis, tous très forts en orthographe. Stupéfaction! La moyenne de réussite n'a été que d'environ 50%... Plusieurs ont expliqué que, confrontés à pareille difficulté en écrivant, il leur fallait chaque fois consulter un ouvrage de référence; d'autres ont avoué... qu'ils transformaient alors leur phrase pour contourner le problème! Pourtant ces personnes ne font pour ainsi dire jamais de faute sur les cas de participes autres que celui-là; elles ont même rarement l'ombre d'une hésitation sur les finales justes à inscrire. Que se passe-t-il donc avec le participe des verbes essentiellement pronominaux?

J'ai tourné et retourné ce problème en tous sens pendant des mois, dans le but d'y trouver une solution... « amicale pour l'usager »! C'est-à-dire une justification telle des cas à résoudre qu'elle soit évidente pour tout scripteur, le dispensant de se plonger chaque fois dans un ouvrage de référence ou... de transformer sa phrase!

Eh bien! la solution existe. Il suffit, en guise de raisonnement, d'appliquer une variante de la question sur le « chemin direct », expliqué précédemment. Bien sûr, le raisonnement doit rester le plus proche possible du langage de tous les jours, ce à quoi la grammaire traditionnelle ne parvient pas, quand elle nous oblige à des contorsions verbales du type : « Elles ont aperçu qui? Elles. De quoi? De leur erreur. » (Mais, est-ce vraiment elles qui sont aperçues? Logiquement, c'est plutôt l'erreur!) Le raisonnement : « Ils ont souvenu eux, de quoi? De quelque chose » n'est guère élégant, n'est-ce pas? Tout comme : « Elle a évanoui elle », « Elles ont pris elles de travers » ou encore : « Ils ont douté eux, de quoi? De quelque chose. »

Voici maintenant le raisonnement que je propose. Comme dans le cas des autres verbes pronominaux, il ne sera, bien sûr, pas question de changer ici l'auxiliaire *être* pour l'auxiliaire *avoir*, procédure qui aboutit à des formulations rebutantes. Pas plus d'ailleurs que de transformer, le temps d'un raisonnement, un verbe *essentiellement* pronominal en verbe *non pronominal*, ce qui s'est passé, chaque fois, dans les exemples du paragraphe précédent. De manière plus logique, on se posera la question suivante qui respecte le caractère *essentiellement* pronominal de ces verbes :

En français, est-ce qu'on s'aperçoit *soi-même* de son erreur ? Oui. Alors le participe s'accorde : Elles se sont aperçu*es* de leur erreur.

En français, est-ce qu'on se souvient *soi-même* de quelque chose ? Oui. Alors le participe s'accorde : Ils se sont souvenu*s* de nos recommandations.

En français, est-ce qu'on s'évanouit *soi-même* ? Bien sûr ! Personne ne peut nous évanouir ! Alors le participe s'accorde : Elle s'est évanoui*e*.

En français, est-ce qu'on s'y prend, *soi-même*, de telle ou telle façon ? Oui. Alors le participe s'accorde : Elles s'y sont pri*ses* de travers.

En français, est-ce qu'on s'approprie *soi-même* quelque chose ? Non, on s'approprie *à soi-même* quelque chose. Donc ici le « chemin » n'est pas direct de *approprié* à *industriels*. En conséquence, le participe ne s'accorde pas. On écrit donc : De riches industriels se sont *approprié* ces terrains.

En français, est-ce qu'on se doute *soi-même* de quelque chose ? Oui. Alors le participe s'accorde : Ils ne s'en sont pas douté*s*.

Voilà en tout cas une piste pour régler ce redoutable problème d'orthographe grammaticale sur lequel la grammaire scolaire traditionnelle se casse les dents depuis des générations. En attendant, sans doute, qu'une prochaine réforme de l'orthographe française, sur ce point précis, rende tous ces participes invariables... Notons que le raisonnement suggéré laisse entier le problème de savoir si un verbe comme *se rendre compte* est ou non *essentiellement* pronominal. Doit-on écrire, en effet : ils se sont *rendu* compte, faisant le raisonnement : « Qu'est-ce qui est *rendu*? c'est le compte », ou encore : ils se sont *rendus* compte, au nom du raisonnement : « En français, est-ce qu'on se rend compte *soi-même* de telle ou telle chose? Oui. Alors *rendus* s'accorde avec *ils*. » J'avoue n'avoir pas trouvé de réponse satisfaisante à cette question.

Les concepts et procédures périmés en orthographe d'accord

Un des changements majeurs occasionnés par l'analyse préconisée plus haut consiste en l'abandon de certaines notions jugées indispensables jusque-là dans l'accord des adjectifs et participes, à savoir les notions d'attribut, de verbe *être* et de verbe d'état, d'auxiliaire *être* et de complément, qu'il soit direct, indirect ou circonstanciel. Comme les taux d'échecs enregistrés, tant au primaire qu'au secondaire, sont largement tributaires d'une mauvaise compréhension de ces concepts, on ne peut que se réjouir de leur mise au rancart.

En effet, plus besoin désormais, pour l'accord de l'attribut, si fréquent à l'écrit, de l'identification du verbe *être* ou de l'auxiliaire *être* à tous les temps et modes principaux, non plus que celle du verbe d'état; la fonction d'attribut devient elle-même désuète pour les fins de l'orthographe grammaticale.

Quant au complément, non seulement ne joue-t-il aucun rôle en orthographe, mais encore est-il inutile en ce qui concerne l'amélioration du choix de l'information à l'écrit. En effet, nous n'ajoutons jamais « un complément » à notre texte, nous ajoutons *une idée qui manque*, peu importe la structure syntaxique requise pour l'exprimer. Quant à l'emploi ou non d'une préposition (exemples : pallier *à* ou pallier; se fier *sur* ou *à*; etc.), mieux vaut attaquer le problème directement plutôt que par un détour superflu faisant appel à la notion de complément. Ce sera autant de gagné en temps et en efficacité.

Autre bénéfice non négligeable de l'approche suggérée ici, la procédure consistant à substituer l'auxiliaire *avoir* à l'auxiliaire *être*, dans l'accord du participe passé des verbes pronominaux, peut elle aussi être désormais reléguée aux oubliettes, alors qu'il sera par ailleurs possible d'enseigner ce type d'accord beaucoup plus tôt dans la scolarité.

Une progression plus réaliste : condition essentielle à l'amélioration des résultats des élèves

Ce qui nous amène maintenant à aborder l'un des problèmes les plus délicats qu'il reste à solutionner, à savoir celui de l'établissement d'une progression judicieuse des apprentissages, condition qui fait probablement le plus cruellement défaut à l'heure actuelle. Ce qu'il faudrait, c'est aménager des étapes réalistes, garantissant la réussite orthographique d'une majorité d'élèves, non seulement à la fin de la 6ᵉ année, mais encore au terme de *chacune* des étapes prévues.

Qu'est-ce qui se passe actuellement ? Osons le dire : le programme de 3ᵉ année est tellement surchargé que les enseignants de ce niveau peuvent tout au mieux survoler tous les cas au programme, sans vraiment rien approfondir. Beaucoup d'enseignants de 3ᵉ année avouent consacrer cinq heures par semaine à l'orthographe grammaticale, parfois plus. Sans être devin, on peut en déduire que cela se fait au détriment soit de la lecture et de l'écriture, soit des autres matières au programme, ce qui est grave. Ne serait-il pas préférable de ménager des étapes plus réalistes, en n'hésitant pas à alléger le programme de 3ᵉ année, au profit de connaissances moins nombreuses, mais mieux maîtrisées ?

Ne sous-estimons pas l'impact d'une mauvaise progression : au lieu d'enseigner des connaissances nouvelles, de la 4ᵉ à la 6ᵉ année, les enseignants se voient dans l'obligation de reprendre inlassablement des explications fournies antérieurement, mais que les élèves n'ont pas bien comprises alors. Ces derniers, de leur côté, font preuve de moins d'intérêt, ennuyés qu'ils sont par une impression de déjà vu. C'est ainsi, entre autres, qu'on aboutit aux résultats désastreux constatés, à la fin du primaire, dans l'accord de l'adjectif.

Parmi les problèmes plus précis occasionnés par la progression présentement en vigueur, citons l'enseignement prématuré de l'accord en -*e* muet et, plus généralement, l'enseignement de tous les cas d'attributs à un âge où les enfants ne sont pas en mesure de bien les comprendre ; parallèlement, on assiste à l'enseignement d'une foule de notions inutiles dans l'accord des adjectifs féminins. Voyons donc de plus près sur quelles bases établir une progression plus judicieuse des cas d'accord de l'adjectif.

Le pluriel avant le féminin

Jusqu'à présent, on a toujours placé sur un pied d'égalité le cas du féminin et celui du pluriel, les considérant de difficulté analogue. Qui plus est, on a même enseigné le genre avant le nombre, donc le féminin avant le pluriel. Cela n'apparaît pas une pratique pertinente, pour la bonne raison que l'accord de l'adjectif féminin est beaucoup plus malaisé à faire que ne l'est celui du pluriel, comme en témoignent les 44% d'échecs enregistrés, dans l'étude que j'ai effectuée, sur le cas du féminin singulier en -e non marqué à l'oral, par rapport aux 34% d'échecs sur le cas du masculin pluriel.

Plusieurs facteurs expliquent cette difficulté plus grande des accords au féminin. Tout d'abord, la distinction entre singulier et pluriel est bien sentie logiquement. Même très jeune, l'enfant fait la différence entre « un » et « plusieurs », entre « rien qu'un » et « plus d'un », ce qui lui facilitera éventuellement les accords au pluriel. En revanche, la plupart du temps, l'attribution du genre ne procède d'aucune logique ; elle est purement arbitraire (ce qui pose d'ailleurs bien des problèmes aux allophones qui apprennent notre langue).

Mais surtout, si l'on considère les mots qui s'accordent au féminin, on constate que cet accord concerne très rarement le nom, sauf dans certains cas exceptionnels, comme *une employée*, *une inconnue*, etc. Ceci, contrairement à ce qui se passe au pluriel, où le nom s'accorde à peu près toujours. L'enfant a donc infiniment plus d'occasions d'accorder des mots au pluriel qu'il n'en a d'accorder des mots au féminin. Pas de surprise alors si l'automatisme se crée plus difficilement pour les accords au féminin.

De plus, le déterminant pluriel agit presque toujours comme un signal indiquant de faire un accord (sauf pour les mots qui finissent déjà par -s, -x, -z) ; très tôt, on pourra donc miser sur ce signal, en tant que déclencheur. En revanche, dans la majorité des cas, le déterminant féminin n'indique aucun accord à faire (exemples : *ma mère, la lune, une table, sa robe*). Il ne constitue donc pas, en soi, un signal intéressant en orthographe grammaticale.

Au féminin, ce sont avant tout l'adjectif et le participe passé qui s'accordent, plutôt que le nom. De surcroît, la plupart du temps, leur finale est donnée à l'oral, ce qui dispense le scripteur d'appliquer consciemment une règle. Si j'écris, par exemple : « Ma sœur est *heureuse* », il est faux de prétendre que j'applique alors une règle de *formation du féminin*, comme si je me disais : « Ma sœur est... *heureux* : attention ! je change le *-eux* en *-euse*, parce que c'est au féminin ! » Ce n'est pas ainsi qu'on procède : on écrit tout simplement la finale qu'on prononce, sans plus. La seule véritable difficulté du féminin réside donc dans l'ajout occasionnel d'un *-e* non marqué à l'oral.

Ces diverses raisons militent en faveur d'une progression prenant d'abord en compte, au premier cycle du primaire, les seuls accords d'adjectifs au masculin pluriel, de même qu'au féminin pluriel dont le *-e* est donné à l'oral, comme dans *grande, malade, première* et *heureuse*. Quant au féminin singulier dont la finale est donnée à l'oral, il ne doit faire l'objet d'aucun enseignement, en orthographe grammaticale.

Contrairement à ce qui est proposé dans le programme de 1979, il serait préférable de commencer à enseigner *seulement en 4ᵉ année* les cas qui causent vraiment problème au féminin, soit l'accord en *-e* muet, de même que l'accord erroné de certains participes passés, dû à un mauvais emploi à l'oral [exemples : *elle est assis* (sic), *la fenêtre est ouvert* (sic)]. (Nulle part cette dernière difficulté n'est-elle prise en compte, dans le programme de 1979...) Qui trop embrasse, mal étreint ! Comme je le mentionnais plus haut, à force de vouloir tout enseigner en 3ᵉ année, on pose des bases chambranlantes et on réussit mal, par la suite, à consolider ces connaissances, comme le prouvent les résultats désastreux des élèves.

Progression des cas de pluriel

Une base intéressante pour établir une progression judicieuse de l'accord des adjectifs pluriels consiste, dans un premier temps, d'une part, à s'appuyer sur les « signaux évidents de pluriel », comme *mes*, *plusieurs*, *trois*, etc., facilement repérables par l'enfant dans son texte et, d'autre part, à distinguer les adjectifs *proches* des adjectifs *éloignés* de ce signal de pluriel. Au premier cycle du primaire, il convient de demander souvent aux élèves d'encercler dans leurs textes ces « signaux évidents de pluriel », pour qu'ils s'habituent à les percevoir comme des déclencheurs, indiquant un, voire plusieurs accords probables à faire.

Le plus souvent, ce sera alors un nom qui devra être accordé au pluriel, mais parfois aussi un adjectif. Cela suppose que l'enfant puisse repérer aisément ces deux types de mots. À la fin de la 3ᵉ année, l'élève devrait posséder parfaitement la définition du nom : « un mot devant lequel on peut mettre *un*, *une*, *des* ou *du* », et aussi une partie de la définition de l'adjectif, à savoir : « un adjectif est *un* mot qui se dit bien après *il est/elle est* et qui exprime le comment ». C'est suffisant pour un début.

Quant à l'accord, on croit généralement qu'il est plus difficile pour un enfant d'accorder un adjectif que d'accorder un nom. En réalité, une observation attentive des textes d'enfants démontre que la difficulté réside plutôt dans la proximité plus ou moins grande du mot à accorder par rapport au déterminant pluriel. Ainsi, dans l'expression *les poissons rouges*, le mot *rouges* est plus difficile à accorder que ne l'est le mot *poissons*, simplement parce qu'il est plus loin du signal de pluriel *les*; dans l'expression *les nouvelles émissions*, c'est le nom *émissions* qui causera des difficultés d'orthographe, et pour la même raison.

Les résultats de l'analyse de corpus présentés plus haut semblent attester la justesse de cette observation. En effet, on constate un taux d'échecs de 24% seulement (!), à la fin de la 6ᵉ année, sur les adjectifs masculins pluriels placés avant le nom (structure 1, du type : *les petits chiens*), par rapport à un taux d'échecs de 35% sur les adjectifs placés après le nom, sans être attributs (structure 2, du type : *les poissons rouges*), donc situés plus loin du déterminant pluriel.

Le fait que l'adjectif se retrouve souvent en position d'attribut (structure 3 : *ils ont été vendus, je connais les élèves qui sont tombés malades hier*), par définition encore plus éloigné du signal de pluriel, explique en partie les problèmes éprouvés par les enfants pour faire cet accord (soit 47% d'échecs sur les adjectifs masculins pluriels).

Wittwer, un disciple de Piaget, a démontré dans son étude portant sur la compréhension des fonctions grammaticales chez l'enfant[14], que le concept d'attribut ne se développe efficacement que vers l'âge de dix ans (soit au cours de la 4ᵉ année), et cela, même si on se base uniquement sur la compréhension *intuitive* qu'en ont les enfants (c'est-à-dire sur le rapport intuitif qu'ils perçoivent entre l'adjectif et le nom ou pronom auquel il se rapporte), plutôt que sur sa compré-

---

14. Jacques WITTWER, *Les Fonctions grammaticales chez l'enfant – Sujet, Objet, Attribut*, Neuchâtel, Delachaux et Niestlé, 1959.

hension formelle, acquise à l'aide des concepts de la grammaire traditionnelle (verbe *être*, auxiliaire *être*, verbe d'état, accord avec le sujet).

Il paraît donc opportun de poser d'abord solidement, en 3ᵉ année, les bases de l'accord de l'adjectif, quand il est proche du signal de pluriel, c'est-à-dire soit placé *entre* le signal de pluriel et le nom (*les petits chiens*, *les très longs voyages*), soit placé *après* le nom et proche de lui (*les roses rouges*, *des journées trop chaudes*), et d'aborder seulement en 4ᵉ année l'accord de l'adjectif en position d'attribut.

Comment l'élève de 3ᵉ année doit-il procéder pour bien accorder ces types d'adjectifs qui ne lui posent pas une difficulté excessive ? Il commence d'abord par repérer le déterminant pluriel (le « signal évident de pluriel » dans la terminologie qu'on lui suggère), *les* par exemple dans *les poissons rouges* et il l'encercle. Puis il se pose la question : *les... quoi ?* Si, dans les mots de la réponse, il découvre un adjectif en plus du nom, il l'accorde au pluriel, en lui apposant au besoin un *-s* ou un *-x*. Contrairement à ce que j'ai préconisé plus tôt à propos des noms en *-al/-aux* et *-ail/-aux*, je crois qu'il est utile de faire apprendre la règle des adjectifs en *-al* qui font *-aux* au pluriel, car ils sont légion en français et la règle ne comporte que quelques exceptions (*natals*, *banals*, etc.) qu'on pourra signaler en 4ᵉ année.

Quant aux adjectifs féminins pluriels, on devrait restreindre les exigences qu'on entretient à cet égard en 3ᵉ année, en ce qui concerne le *-e* muet, quitte à les augmenter progressivement par la suite. En clair, cela signifie qu'on devrait exiger que l'élève orthographie parfaitement, à la fin de l'année, dans des structures du type : *les grandes enveloppes* et *les fleurs jaunes*, la finale *-s* de l'adjectif féminin précédé d'un signal évident de pluriel, mais non le *-e* muet que comporte parfois l'adjectif. Ainsi, on considérerait comme une réussite à la fin de l'année, dans des expressions du type : *mes meilleures amies*, *deux jolies robes bleues* et *des chaussures noires*, que l'élève ait mis un *-s* à l'adjectif, bien qu'il ait omis le *-e* muet qui précède, ce dernier n'étant objet d'apprentissage qu'à partir de la 4ᵉ année. Rappelons, une fois encore, que le but n'est pas la maîtrise du *-e* muet en 3ᵉ année, mais bien sa maîtrise *assurée* en 6ᵉ année.

En 4ᵉ année, on franchit un pas de plus vers les trois règles de base d'accord de l'adjectif, expliquées précédemment. On fournit d'abord les derniers points de la définition de l'adjectif : d'une part, la connaissance de cette particularité voulant que l'adjectif finisse toujours par *-e* au féminin, d'autre part, les explications relatives aux « intrus », comme *allé*, *parti*, *entré*, etc., si fréquents à l'écrit. Puis on procède à une première initiation au cas de l'attribut. Pour bien comprendre la démarche, considérons les phrases suivantes : *Mes petits rats blancs sont malades* et *Vos roses rouges sont belles, mais un peu fanées*. À la fin de la 3ᵉ année, l'élève maîtrise parfaitement le *-s* de *petits*, de *blancs* et de *rouges*. Il lui reste cependant à apprendre l'accord de *malades*, *belles* et *fanées*. Comment procéder?

Une fois qu'il a repéré, grâce au signal de pluriel qui agit comme déclencheur, le nom pluriel et éventuellement le ou les adjectifs proches qui lui sont associés (exemples : *Mes... quoi?* Mes petits rats blancs; *Vos... quoi?* Vos roses rouges), on initie l'élève à se demander si, *après* ce nom (et ces adjectifs), il y a un ou plusieurs adjectifs qui peuvent compléter les expressions : *c'est eux qui sont...* ou *c'est elles qui sont...* Dans le premier cas, la finale à inscrire sera *-s* ou *-x*, dans le second, toujours *-es*. Exemples : Mes petits rats blancs, *c'est eux qui sont malades*, donc *malade* prend un *-s*; vos roses rouges, *c'est elles qui sont belles* et *c'est elles qui sont fanées*, donc *belles* et *fanées* finissent automatiquement par *-es*.

À ce stade, pour être certain de créer un automatisme, on devrait miser seulement sur les signaux *évidents* de pluriel, comme *les*, *cinq*, *plusieurs*, par opposition à *de*, *à*, *en*, etc. De plus, pour assurer la maîtrise de cet accord, fort difficile comme en témoignent les piètres résultats obtenus en 6ᵉ année dans l'étude que j'ai menée, il vaudrait mieux tenir compte uniquement, à ce degré scolaire, de l'accord de l'adjectif avec un *nom*, pas encore avec un pronom. Avant la 5ᵉ année, malheureusement, l'enfant est trop jeune pour bien comprendre les trois règles de base, clé de l'accord facile de l'adjectif avec un pronom.

Cela peut paraître choquant qu'à la fin de la 4ᵉ année, l'élève accorde correctement l'adjectif dans : *Mes parents sont partis*, mais non dans : *Ils sont partis*. En revanche, si l'on procède ainsi, dès la fin de la 4ᵉ année, l'élève maîtrisera l'accord de l'adjectif et du participe passé avec un nom pluriel, dans les structures : *les fleurs qu'il a achetées* ou *mes amis se sont amusés*; il réussira également l'accord, dans le cas où un long écran sépare l'adjectif du nom auquel il se rapporte. Dans une phrase du type : « Ses chats, qui n'étaient jamais *allé(?)* en auto, ont été *apeuré(?)* lors de leur premier voyage », l'élève repérera d'abord le « signal évident de pluriel » : *ses*, et se demandera : *ses… quoi?* Ayant répondu : *ses chats*, il poursuivra : *ses chats, c'est eux qui sont…* et trouvera ainsi les mots *allés* et *apeurés* à accorder au pluriel.

En 5ᵉ année, vient enfin le temps d'initier systématiquement les élèves aux trois règles de base d'accord ou non de l'adjectif présumé, correspondant à environ 98% de tous les cas d'adjectifs et de participes passés qu'ils emploient. En effet, vers dix ou onze ans, l'enfant possède la maturité cognitive suffisante, d'une part, pour comprendre le concept de *déterminant*, essentiel à la règle nᵒ 1, d'autre part, pour bien analyser la place occupée par l'adjectif par rapport au nom ou pronom auquel il se rapporte.

On profitera de la 6ᵉ année pour consolider la maîtrise de ces trois règles de base, et en particulier l'accord de l'adjectif avec un pronom. Comme, au chapitre des verbes, on initiera parallèlement les élèves à la conjugaison, ils comprendront déjà, lors de leur arrivée au secondaire, le concept de participe passé employé avec *avoir* et celui de verbe pronominal, nécessaires à la compréhension des deux exceptions aux règles de base, à enseigner alors. Il ne restera plus qu'à ajouter, au chapitre de la définition de l'adjectif, le raisonnement additionnel sur le « chemin », direct ou indirect, de l'adjectif au nom ou pronom auquel il se rapporte, de même que sa variante, nécessaire à l'accord des participes passés des verbes essentiellement pronominaux.

Progression des cas de féminin

Comme je l'ai souligné précédemment, l'accord de l'adjectif féminin commande une réforme en profondeur. D'une part, on s'est plu jusqu'ici à enseigner à l'enfant des connaissances qu'il possède déjà et qu'il utilise à bon escient en situation d'écriture, par exemple, toutes ces règles de formation du féminin (mots en *-er/-ère*, *-on/-onne*, *-eux/-euse*, etc.), qui ne posent plus que des problèmes d'orthographe d'usage, et ce, *tant au masculin qu'au féminin.*

D'autre part, on est généralement intervenu *trop tôt* (dès la 3ᵉ année, dans le programme de 1979) et de façon trop diffuse sur ce qui constitue les réelles difficultés orthographiques du féminin, à savoir l'ajout d'un *-e* muet, de même que l'ajout d'un *-e* senti à l'oral à la fin de certains participes passés (elle est assis*e*, la faute que j'ai fait*e*, etc.), que bien des gens ne prononcent pas et sur lequel, en conséquence, ils font de nombreuses fautes d'accord à l'écrit. (Étonnamment, le programme de 1979 est muet sur cette dernière difficulté.)

On a tellement pris l'habitude de noyer le cas du -*e* muet dans une mer de connaissances inutiles qu'il fait même rarement en classe l'objet d'un enseignement systématique. On n'a qu'à observer les exercices proposés aux élèves : une part *infime* porte généralement sur le -*e* muet. Pas étonnant alors de récolter pour le féminin singulier, dans le corpus étudié, des pourcentages d'échecs variant de 38% pour l'épithète (structures 1 et 2) à 50% pour l'attribut (structure 3)! Il est grand temps de donner un coup de barre énergique en ce domaine.

Comment procéder? Au pluriel, il est commode de s'appuyer sur les déterminants, parce qu'ils agissent habituellement comme déclencheurs indiquant de faire un accord. Malheureusement, rien de tel au féminin : le plus souvent, le déterminant (*la*, *cette*, *une*, etc.) ne commande aucun accord, puisque le nom ne s'accorde pas au féminin (sauf dans de très rares exceptions, comme *une amie*, *une inconnue*, le nom ayant pratiquement alors valeur d'adjectif, puisque le mot *femme* ou *fille* est sous-entendu), et que l'adjectif possède, la plupart du temps, une finale donnée à l'oral qui n'exige pas l'application consciente d'une règle. De plus, au pluriel, la plupart de ces déterminants (*des*, *les*, *mes*, etc.) ne fournissent aucun indice sur le genre du nom. Faire repérer par l'élève tous les déterminants féminins serait donc une pure perte de temps.

Après mûre réflexion, voici à quelle solution nous sommes parvenues, Louise Turp et moi, pour commencer à initier les élèves à l'accord en -*e* muet, avant même qu'ils ne disposent des trois règles de base d'accord de l'adjectif qui leur fourniront bientôt la clé du problème. Ces règles ne leur seront enseignées qu'en 5ᵉ année, quand ils auront la maturité suffisante pour bien les comprendre et les appliquer aisément.

Auparavant, puisqu'il n'est pas possible de compter sur le déterminant pour repérer à coup sûr tous les adjectifs finissant par un -*e* non marqué à l'oral, on attend d'abord que l'enfant soit en mesure de reconnaître spontanément l'adjectif dans la phrase, soit en 4ᵉ année ; en effet, à ce degré scolaire, l'élève maîtrise suffisamment bien la définition de l'adjectif pour opérer correctement ce repérage. On lui explique alors que, chaque fois qu'il repère un adjectif, il doit tenter d'y substituer l'un des trois mots suivants : *belle(s)*, *intéressante(s)* ou *blanche(s)*. Si l'un des trois mots fonctionne, l'adjectif prend un -*e* (il prend de plus un -*s*, le cas échéant, s'il est au pluriel). L'élève n'a plus qu'à vérifier s'il a bien inscrit la finale voulue. Cette solution simple est propre à lui garantir la maîtrise de la finale d'un grand nombre d'adjectifs en -*e* muet, sinon de tous.

Imaginons, par exemple, qu'un enfant ait écrit le texte suivant : « Ma mère est *sorti(?)* de bonne heure et elle est *allé(?)* acheter de la viande *haché(?)*. Elle a *trouvé(?)* que c'était une *vrai(?)* aubaine au prix où on l'offrait. Elle a aussi *acheté(?)* de la crème *sur(?)* et quelques bananes, malheureusement trop *mûr(?)*. » Les mots en italique correspondent aux mots repérés hypothétiquement par l'enfant comme adjectifs présumés auxquels il doit appliquer la substitution.

Pour se faire une idée de la procédure à suivre, appliquons à chaque mot repéré celui des trois mots de substitution qui semble le plus approprié [15] ; la barre oblique indique d'arrêter le raisonnement immédiatement après le mot de substitution,

---

15. Même si ce n'est pas le cas ici, le mot qui convient généralement le mieux est *intéressante(s)*.

si le fait d'enchaîner avec les mots qui suivent provoque un non-sens : « Ma mère est *sorti(?)* [intéressante]/ de bonne heure et elle est *allé(?)* [intéressante]/ acheter de la viande *haché(?)* [blanche]. Elle a *trouvé(?)* [aucun des trois mots ne convient, donc le mot ne s'accorde pas au féminin] que c'était une *vrai(?)* [belle] aubaine au prix où on l'offrait. Elle a aussi *acheté(?)* [aucun des trois mots ne convient] de la crème *sur(?)* [blanche] et quelques bananes, malheureusement trop *mûr(?)* [blanches]. »

Pourquoi vaut-il mieux fournir aux enfants trois mots de substitution plutôt qu'un seul? C'est surtout pour aider les élèves qui ont des difficultés d'apprentissage. En effet, dans des phrases comme : *Il a une bibliothèque vitrée, Ta sœur est toujours bien maquillée* ou *J'ai jeté la pêche trop mûre,* lorsque la substitution aboutit à des non-sens du type : *Il a une bibliothèque belle, Ta sœur est toujours bien blanche* ou *J'ai jeté la pêche trop intéressante,* certains enfants sont portés à conclure que la substitution est impossible et que le mot ne s'accorde pas. S'ils ont la possibilité d'utiliser l'un ou l'autre des trois mots suggérés, ils risquent moins de sauter à pareille conclusion.

Pour simple et intéressant que soit le procédé (qui, soit dit en passant, fonctionne bien dans les classes où il a été expérimenté), il ne règle malheureusement pas l'accord du participe passé dans les structures du type : la robe que j'ai *achetée* et je me suis *amusée,* puisqu'on ne peut dire ni : la robe que j'ai *intéressante,* ni : je me suis *intéressante.* D'où l'intérêt d'introduire, en 5e année, les trois règles de base d'accord de l'adjectif qui permettent de régler environ 98% de tous les cas d'adjectifs et de participes que les enfants emploient, incluant les cas qui viennent d'être mentionnés. En 6e année, tout comme pour le pluriel, on consolidera ces trois règles, de sorte qu'il ne reste plus au secondaire que quelques cas d'exception à prendre en compte.

Exemples permettant de se familiariser
avec les trois règles de base

Il semble y avoir consensus sur un point chez les enseignants, à l'heure actuelle : les jeunes connaissent les règles ; ce qui fait défaut, c'est qu'ils ne reconnaissent pas l'adjectif (ou le participe) à accorder dans leur texte, lorsqu'ils le rédigent ou le corrigent. Voici donc de nombreux exemples des raisonnements simples que l'élève sera appelé à faire, si l'on adopte l'approche proposée ici. Ces simulations permettront au lecteur de se familiariser davantage avec le nouveau type d'analyse suggéré. J'en profiterai, ici et là, pour glisser quelques commentaires utiles.

Deux magnifique(?) chattes : « *Magnifique* est *un* mot qui se dit bien après *il est/elle est...* : Il est magnifique/elle est magnifique. De plus, ce mot se termine par *-e* au féminin et il exprime le *comment*. En effet, on peut dire : Il est comment ? Magnifique. Donc, je le retiens comme adjectif. *Qu'est-ce qui est magnifique ?* Les chattes. L'adjectif est placé *entre* deux et chattes (c'est-à-dire entre le déterminant et le nom), donc il s'accorde. Les chattes, *c'est elles qui sont...* : donc *-es*. Ai-je bien écrit *magnifiques* ? »

Dans les exemples qui suivent, je me permets de reprendre le raisonnement de façon abrégée, à l'instar de celui que fera vraisemblablement le scripteur.

Des enfants souvent(?) malade(?) : « Il est souvent/elle est souvente ? Non : rejeté. »

Deuxième cas : « Il est malade/elle est malade. Il est comment ? Malade. Donc retenu. *Qui est-ce qui est malade ?* Les enfants. L'adjectif est *après* enfants : donc il s'accorde. C'est *eux* qui sont... : donc *-s* ou *-x*, ici *-s*. Ai-je bien écrit *malades* ? »

Elle a insisté(?) : « Il est insisté/elle est insisté : ça ne se dit pas. Donc rejeté. »

Ils ne semblent pas avoir été très reconnaissant(?) : « Il est reconnaissant/elle est reconnaissante. Il est comment? Reconnaissant. Donc retenu. *Qui est-ce qui est reconnaissant?* Ils, c'est-à-dire eux. L'adjectif est *après* ils, donc il s'accorde. C'est *eux* qui sont... : donc -s ou -x, ici -s. Ai-je bien écrit *reconnaissants?* »

Je rappelle qu'il est préférable d'inciter les élèves à toujours se poser la question *qui est-ce qui est?* ou *qu'est-ce qui est?* au présent et à la forme affirmative, ce qui facilitera grandement leur tâche, et de toujours employer le verbe *être* dans le raisonnement, même en présence d'un verbe d'état autre que *être*, comme c'est le cas ici. L'apprentissage sera beaucoup plus facile si la question est toujours la même, et... les résultats des élèves n'en seront que plus probants!

Sans compter que ce raisonnement, par sa nature même, permettra de solutionner des cas du type : *ces tableaux, il les trouve très beau(?)* et *cette grammaire qu'on appelle structural(?).* Avec le seul recours à l'analyse traditionnelle, comment l'élève arrivera-t-il à classer les verbes *trouver* et *appeler* parmi les verbes *d'état*, au même titre que *être*, *paraître*, *sembler*, *devenir*, etc.? N'est-il pas plus pertinent qu'il se demande simplement : « *Qu'est-ce qui est beau?* Les tableaux. *Qu'est-ce qui est structural?* La grammaire. Dans les deux cas, l'adjectif est *après* le nom, donc il s'accorde. C'est *eux* qui sont... : donc -s ou -x, ici -x. Ai-je bien écrit *beaux?* C'est *elle* qui est... : donc -e. Ai-je bien écrit *structurale?* »

Uni(?) pour la vie (titre du texte de l'élève) : « Il est uni/elle est unie. Il est comment? Uni. Donc retenu. *Qui est-ce qui est uni?* Je le dis plus loin dans mon texte : ce sont un homme et une femme qui s'aiment. » [À partir de 6ᵉ année,

les élèves peuvent solutionner comme suit ce cas d'ellipse :]
« Les mots *ils sont* sont sous-entendus dans ce titre. Donc,
qui est-ce qui est uni? Le mot sous-entendu *ils* (c'est-à-dire
eux) que je rétablis mentalement. C'est *eux* qui sont... : donc
-*s* ou -*x*, ici -*s*. Ai-je bien écrit *unis*? »

Beau(?) tapis à vendre : « Il est beau/elle est bell*e*. Il est
comment? Beau. Donc retenu. *Qu'est-ce qui est beau?*
D'après ce que j'écris dans mon texte, ce sont *des* tapis et
non *un* tapis. » [À partir de 6e année, les élèves peuvent
solutionner comme suit ce cas d'ellipse du déterminant :]
« L'adjectif est *entre* le mot sous-entendu *des*, que je rétablis
mentalement, et le nom tapis, donc il s'accorde. C'est *eux* qui
sont... : donc -*s* ou -*x*, ici -*x*. Ai-je bien écrit *beaux*? »

Notons que, parmi les cas d'ellipse du déterminant, le
plus fréquent consiste sans doute dans le mot *cher* placé
comme salutation en début de lettre. Doit-on écrire *cher*,
chère, *chers* ou *chères*? On doit chaque fois chercher à qui
s'adresse la salutation et en rétablir mentalement le nom. Le
nom n'étant alors pas évident, ce cas complexe mérite qu'on
s'y attarde en classe. En tout état de cause, avant la 5e année,
on devrait être très indulgent quant à l'orthographe de ce mot,
chaque fois qu'il implique une ellipse du déterminant.

Ils sont contre(?) la proposition : « Il est contre/elle est
contr*e*. Il est comment? Contre. Donc retenu... Mais non,
j'y pense, c'est une des rares exceptions : *contre* n'est jamais
un adjectif. »

Dès la 5e année, on avertit les élèves qu'il existe quatre
mots qui risquent de leur poser des problèmes, car ils peuvent
sembler être des adjectifs, alors qu'ils n'en sont pas. Je rappelle
qu'il s'agit de : *pour*, *contre*, *mal* et *ainsi*. Ces mots sont
trompeurs, car ils expriment tous le comment et complètent
bien les expressions : *C'est eux qui sont...*, *c'est elles qui*

sont... et *c'est elle qui est...* Mieux vaut donc les présenter comme des exceptions.

Les prix ont augmenté(?) : « Il est augmenté/elle est augmentée. Il est comment? Augmenté. Donc retenu. *Qu'est-ce qui est augmenté?* Les prix. L'adjectif présumé est *après* prix, donc il s'accorde... (sic) » (Variante au secondaire : « Le participe avec *avoir* ne s'accorde jamais avec le sujet du verbe. Donc, augmenté ne s'accorde pas. L'adjectif présumé se serait accordé si j'avais écrit : les prix *sont* augmentés, au lieu de *ont* augmenté. »)

Seul(?) tes parents ne viendront pas : [À partir de 6ᵉ année :] « Il est seul/elle est seule. Il est comment? Seul. Donc, retenu. *Qui est-ce qui est seul?* Si je réponds : *tes parents*, cela ne correspond pas au sens de la phrase qui signifie plutôt : « Il y a *seulement* tes parents qui ne viendront pas », et non : « tes parents sont seuls ». J'y pense : le mot *seul* est un mot capricieux qui s'accorde toujours avec un nom ou un pronom, quel qu'en soit le sens et où qu'il soit placé par rapport à ce nom ou ce pronom. On est donc forcé de faire le raisonnement : *Qui est-ce qui est* seul? Tes parents. C'est *eux* qui sont... : donc *-s* ou *-x*, ici *-s*. Ai-je bien écrit *seuls*? »

Nos voisins crient fort(?) : « Il est fort/elle est forte. Il est comment? Fort. Donc retenu. *Qui est-ce qui est fort?* On ne peut répondre : *Nos voisins* sans contrevenir au sens de la phrase. En effet, cette dernière signifie non pas que nos voisins *sont* forts, mais bien qu'ils *crient* fort. Le mot *fort* se rapporte en réalité ici à un verbe, plutôt qu'à un nom ou à un pronom : il ne peut donc avoir valeur d'adjectif, ce dernier se rapportant toujours à un nom ou à un pronom. »

Mes grands-parents sont arrivé(?) et reparti(?) dans la même journée : « Il est arrivé/elle est arrivée. La question : « Il est comment? Arrivé » ne convient pas ici, mais on peut dire : « Il est quoi? Arrivé. » Donc retenu. *Qui est-ce qui est arrivé?* Mes grands-parents. L'adjectif est placé *après* grands-parents, donc il s'accorde. C'est *eux* qui sont... : donc -*s* ou -*x*, ici -*s*. Ai-je bien écrit *arrivés*? »

Deuxième cas : « Il est reparti/elle est repartie. La question : « Il est comment? Reparti » ne convient pas, mais on peut dire : « Il est quoi? Reparti. » Donc retenu. *Qui est-ce qui est reparti?* Mes grands-parents. L'adjectif est placé *après* grands-parents, donc il s'accorde. C'est *eux* qui sont... : donc -*s* ou -*x*, ici -*s*. Ai-je bien écrit *repartis*? »

Voici maintenant plusieurs autres exemples dans lesquels l'adjectif semble exprimer davantage *le quoi* que *le comment*, et qui pourraient être réglés de façon simple, grâce à la dernière partie de la définition de l'adjectif.

Elle avait reçu(?) plusieurs cadeaux : « Il est reçu/elle est reçue. La question : « Il est comment? Reçu » convient mal, mais on peut dire : « Il est quoi? Reçu. » Donc retenu. *Qu'est-ce qui est reçu?* Des cadeaux. L'adjectif présumé est *avant* cadeaux, donc il ne s'accorde pas. » (Variante au secondaire : « L'adjectif présumé est placé *avant* cadeaux et précédé de l'auxiliaire *avoir*, donc il ne s'accorde pas. »)

Avec le nouveau type d'analyse grammaticale proposée, il est indifférent que l'élève aboutisse à la conclusion que l'adjectif exprime *le quoi* plutôt que *le comment*, ou vice versa : dans les deux cas, l'accord est le même. Dans l'exemple qui précède, comme dans ceux qui suivent, il arrive qu'on hésite entre la question : *comment?* et la question : *quoi?* Il est même arrivé fréquemment que certains lecteurs de ce manuscrit concluent, dans tel ou tel cas, que la question : *comment?* était la plus appropriée, alors que d'autres soutenaient, au contraire, qu'il s'agissait plutôt de la question : *quoi?* Plutôt que d'entrer alors dans un débat sans issue, mieux vaut conclure qu'il est indifférent que l'adjectif présumé exprime le quoi ou le comment, puisque l'accord à faire est le même, quelle que soit la conclusion tirée. À cette condition, il ne sera pas nécessaire à l'élève du cours primaire d'identifier formellement le participe passé pour être en mesure d'en faire correctement l'accord, du moins dans la très grande majorité des cas. Grâce à la définition simplifiée proposée ici, les enfants parviendront sans peine à repérer tous les adjectifs présumés de leurs textes, peu importe qu'il s'agisse d'adjectifs qualificatifs ou de participes passés.

Notons qu'il est essentiel cependant de ne jamais utiliser la question : *quoi?* dans le but de trouver à quel nom ou pronom se rapporte l'adjectif identifié, mais de toujours employer plutôt la question habituelle : *Qui est-ce qui est?* ou *Qu'est-ce qui est?* Ainsi, dans l'exemple cité, là où la grammaire traditionnelle impose la question : *quoi?* (« Elle a reçu quoi? Des cadeaux »), la nouvelle grammaire proposée s'en tient strictement à la question : *Qu'est-ce qui est reçu?* Des cadeaux. C'est donc au moment de déterminer s'il y a ou non un accord à faire que la question : *quoi?* devient périmée en orthographe grammaticale, puisqu'il n'est jamais question alors de chercher le complément direct.

Il a égaré(?) sa casquette : « Il est égaré/elle est égarée. « Il est comment? Égaré » (ou encore : « Il est quoi? Égaré », peu importe). Donc retenu. *Qu'est-ce qui est égaré?* La casquette. L'adjectif présumé est *avant* casquette, donc il ne s'accorde pas. » (Variante au secondaire : « L'adjectif présumé est placé *avant* casquette et précédé de l'auxiliaire *avoir*, donc il ne s'accorde pas. »)

La balle qu'il a trouvé(?) : « Il est trouvé/elle est trouvée. « Il est comment? Trouvé » (ou encore : « Il est quoi? Trouvé », peu importe). Donc retenu. *Qu'est-ce qui est trouvé?* La balle. L'adjectif est *après* balle, donc il s'accorde. C'est *elle* qui est... : donc -*e*. Ai-je bien écrit *trouvée?* »

Et voilà comment on règle sans mal ce cas qui constitue depuis toujours la bête noire de l'enseignement de l'orthographe grammaticale!

La ceinture que j'ai mis(?) : « Il est mis/elle est mis*e*. « Il est comment? Mis» (ou encore : « Il est quoi? Mis», peu importe). Donc retenu. *Qu'est-ce qui est mis?* La ceinture. L'adjectif est *après* ceinture, donc il s'accorde. C'est *elle* qui est... : donc -*e*. Ai-je bien écrit *mise*? »

À la longue, les élèves devraient devenir tellement habitués à se dire que « l'adjectif *après* s'accorde » que cela pourrait les inciter, non seulement à bien orthographier la finale, mais encore à *bien prononcer à l'oral* la finale de ce type de participe féminin, laquelle est trop souvent escamotée. Combien de fois n'entend-on pas en effet : la fenêtre que j'ai *ouvert*, elle s'est *assis*, la chose que je t'ai *promis* (sic)? Quelle aubaine si l'on avait trouvé là la façon de rendre facile l'accord à faire, tant à l'oral qu'à l'écrit!

« Je vais t'appeler ce soir », m'a-t-il dit(?) : « Il est dit/elle est dit*e*. « Il est comment? Dit» (ou encore : « Il est quoi? Dit», peu importe). Donc retenu. *Qu'est-ce qui est dit? Tout ça* qui vient *avant* : « Je vais t'appeler ce soir». L'adjectif est placé *après* « tout ça » qui résume la réponse, donc il s'accorde; *c'est ça qui est...* : donc aucune marque d'accord particulière à inscrire, c'est comme après : *c'est lui qui est...* Ai-je bien écrit *dit*? » (Variante au secondaire : « L'adjectif présumé est placé *après* « tout ça » et précédé de l'auxiliaire *avoir*, donc il ne s'accorde pas. »)

Il m'a juré(?) qu'il ne le savait pas : « Il est juré/elle est jur*ée*. « Il est comment? Juré» (ou encore : « Il est quoi? Juré», peu importe). Donc retenu. *Qu'est-ce qui est juré? Tout ça* qui vient *après* : « Qu'il ne le savait pas». L'adjectif présumé est placé *avant* « tout ça » qui résume la réponse, donc il ne s'accorde pas. » (Variante au secondaire : « L'adjectif présumé est placé *avant* « tout ça » et précédé de l'auxiliaire *avoir*, donc il ne s'accorde pas. »)

Des livres de science-fiction, j'en ai lu(?) beaucoup : « Il est lu/elle est lu*e*. « Il est comment? Lu » (ou encore : « Il est quoi? Lu », peu importe). Donc retenu. *Qu'est-ce qui est lu?* (Raisonnement au secondaire :) En français, est-ce qu'on lit quelque chose? Oui, des livres par exemple. Ici, *qu'est-ce qui est lu?* La réponse est ambiguë du fait de la présence du mot *en* qui renvoie à l'expression *de cela*. Selon qu'à la question on répond le mot *livres* (« chemin direct ») ou le mot *en* mis pour *de cela* (« chemin indirect »), *lu* s'accorde ou non. » (Même conclusion qu'avec la grammaire traditionnelle.)

Bien caché(?), les deux mallettes ont quand même été découvert(?) : « Il est caché/elle est caché*e*. « Il est comment? Caché » (ou encore : « Il est quoi? Caché », peu importe). Donc retenu. *Qu'est-ce qui est caché?* Les deux mallettes. L'adjectif est placé *avant* mallettes, donc il ne s'accorde pas… (sic). » (Variante au secondaire : « L'adjectif est placé *avant* mallettes, mais il n'est ni accompagné de l'auxiliaire *avoir*, ni partie d'un verbe pronominal, donc il s'accorde. C'est *elles* qui sont… : donc *-es*. Ai-je bien écrit *cachées*? »)

Rappelons que le cas de l'adjectif antéposé, c'est-à-dire le cas de l'adjectif présumé qui s'accorde même s'il est placé *avant* le déterminant et le nom ou le pronom auquel il se rapporte, est à peu près inexistant dans les textes d'élèves du primaire. Il ne compte que pour 0,6% des occurrences relevées dans le corpus étudié.

Deuxième cas : « Il est découvert/elle est découvert*e*. « Il est comment? Découvert » (ou encore : « Il est quoi? Découvert », peu importe). Donc retenu. *Qu'est-ce qui est découvert?* Les mallettes. L'adjectif est placé *après* mallettes, donc il s'accorde. C'est *elles* qui sont… : donc *-es*. Ai-je bien écrit *découvertes*? »

Mes deux amis se sont d'abord amusé(?), mais ensuite ils se sont battu(?) : « Il est amusé/elle est amusé*e*. « Il est comment ? Amusé » (ou encore : « Il est quoi ? Amusé », peu importe). Donc retenu. *Qui est-ce qui est amusé ?* Mes amis. L'adjectif est *après* amis, donc il s'accorde. C'est *eux* qui sont… : donc *-s* ou *-x*, ici *-s*. Ai-je bien écrit *amusés* ? »

Deuxième cas : « Il est battu/elle est battu*e*. « Il est comment ? Battu » (ou encore : « Il est quoi ? Battu », peu importe). Donc retenu. *Qui est-ce qui est battu ?* Ils, mis pour mes amis. L'adjectif est *après* ils, donc il s'accorde. C'est *eux* qui sont… : donc *-s* ou *-x*, ici *-s*. Ai-je bien écrit *battus* ? »

Comme on le voit, il est inutile, pour accorder le participe passé des verbes pronominaux, de chercher l'auxiliaire *être*, puis d'y substituer l'auxiliaire *avoir*, ce qui aboutit à des formulations tout à fait rébarbatives, du type : *ils ont amusé eux* et *ils ont battu eux*. Rien de tel avec la nouvelle analyse proposée. On reste le plus près possible du langage de tous les jours, compréhensible pour tous les élèves, même ceux qui sont en difficulté d'apprentissage. Par exemple, rien de mystérieux ici dans le fait que, si mes deux amis s'amusent, par définition « les deux sont amusés » et que, s'ils se battent, par définition « l'un et l'autre, donc les deux, sont battus ».

S'étant reconnu(?), elles se sont donné(?) la main : « Il est reconnu/elle est reconnu*e*. « Il est comment ? Reconnu » (ou encore : « Il est quoi ? Reconnu », peu importe). Donc retenu. *Qui est-ce qui est reconnu ?* Elles. L'adjectif est situé *avant* elles, donc il ne s'accorde pas… (sic). » (Variante au secondaire : « Qui est-ce qui est reconnu ? *S'* et *elles*, car il s'agit d'un verbe pronominal. L'adjectif est *après* au moins l'un des deux mots, soit *s'*, donc il s'accorde. C'est *elles* qui sont… : donc *-es*. Ai-je bien écrit *reconnues* ? »)

Deuxième cas : « Il est donné/elle est donné*e*. « Il est comment ? Donné » (ou encore : « Il est quoi ? Donné », peu importe). Donc retenu. *Qu'est-ce qui est donné?* La main. L'adjectif présumé est *avant* main, donc il ne s'accorde pas. » (Variante au secondaire : « Il s'agit d'un verbe pronominal et l'adjectif présumé est *avant* main, donc il ne s'accorde pas. »)

S'étant acheté(?) des souliers, il les a aussitôt étrenné(?) : « Il est acheté/elle est achetée. « Il est comment? Acheté » (ou encore : « Il est quoi? Acheté », peu importe). Donc retenu. *Qu'est-ce qui est acheté?* Des souliers. L'adjectif présumé est *avant* souliers, donc il ne s'accorde pas. » (Variante au secondaire : « Il s'agit d'un verbe pronominal et l'adjectif présumé est *avant* souliers, donc il ne s'accorde pas. »)

Deuxième cas : « Il est étrenné/elle est étrennée. « Il est comment? Étrenné » (ou encore : « Il est quoi? Étrenné », peu importe). Donc retenu. *Qu'est-ce qui est étrenné? Les,* mis pour *souliers.* L'adjectif est *après* le mot *les,* donc il s'accorde. C'est *eux* qui sont… : donc *-s* ou *-x,* ici *-s.* Ai-je bien écrit *étrennés?* »

Voici maintenant deux cas malaisés d'accord de participes passés suivis d'un infinitif, à enseigner au secondaire seulement :

Les bûcherons que j'ai vu(?) abattre ces arbres… : « Il est vu/elle est vue. « Il est comment? Vu » (ou encore : « Il est quoi? Vu », peu importe). Donc retenu. *Qui est-ce qui est vu?* Des bûcherons [en train de (sous-entendu)] abattre des arbres. Dès que le premier mot de la réponse est *avant* l'adjectif présumé, ce dernier s'accorde. Les bûcherons, c'est *eux* qui sont… : donc *-s* ou *-x,* ici *-s.* Ai-je bien écrit *vus?* »

Les arbres que j'ai vu(?) abattre… : « Il est vu/elle est vue. « Il est comment? Vu » (ou encore : « Il est quoi? Vu », peu importe). Donc retenu. *Qui est-ce qui est vu?* [Quelqu'un en train de (sous-entendu)] abattre des arbres. L'adjectif présumé *vu* est placé *avant* le premier mot de la réponse, soit *abattre*, et il est précédé de l'auxiliaire *avoir*. Donc il ne s'accorde pas. »

En faisant le raisonnement, il est essentiel de toujours utiliser le mot tel qu'il est dans la phrase. Ainsi, dans le deuxième exemple, on ne doit pas changer le mot *abattre* pour le mot *abattus*.

Pour terminer, arrêtons-nous sur l'accord problématique de l'adjectif (ou du participe passé) avec le pronom *on*.

Même après le divorce, on est resté(?) amis : « Il est resté/ elle est resté*e*. « Il est comment? Resté » ne se dit pas, mais « Il est quoi? Resté », si. Donc retenu. *Qui est-ce qui est resté? On*, mis pour *nous*. L'adjectif est placé *après* le mot *on*, donc il s'accorde. Ici, l'expression *c'est nous qui sommes...* se ramène en fait à : c'est *eux* qui sont... (puisqu'il s'agit d'un homme et d'une femme) : donc *-s* ou *-x*, ici *-s*. Ai-je bien écrit *restés*? »

Voici ce qu'on lit dans *Le Bon Usage* de Grevisse sur ce cas controversé :

Quand le participe passé conjugué avec *être* se rapporte à *on*, il se met ordinairement au masculin singulier : *L'on est plus* OCCUPÉ *aux pièces de Corneille, l'on est plus* ÉBRANLÉ *et plus* ATTENDRI *à celles de Racine* (La Bruyère, I, 54). *On était* RESTÉ *bons camarades* (Hugo, *Les Misérables*, III, 5, 3).

Cependant lorsque les circonstances indiquent nettement que *on* désigne une femme ou bien plusieurs personnes, le participe passé qui s'y rapporte s'accorde généralement, en genre et en nombre, avec le nom déterminé que l'esprit aperçoit sous l'indéterminé *on* : *Et s'étant* SALUÉS, *on se tourna le dos* (Flaubert, *Madame Bovary*, II, 8). *Eh bien! petite, est-on toujours* FÂCHÉE? (Maupassant, *Notre cœur*, III, 1). *Si je mets ma signature à gauche, c'est qu'on aura été* BOMBARDÉS. (Montherlant, *Fils de personne*, IV, 1). *À nos âges, on a besoin d'être* SOIGNÉS. (M. Druon, *Les Grandes Familles*, III, 5)[16].

Les élèves emploient fréquemment dans leurs textes le mot *on* dans un sens personnel et non impersonnel. Il paraît donc opportun de les initier, à tout le moins au secondaire, à ce cas complexe d'accord du participe passé avec le pronom *on*.

Bénéfice marginal pour l'accord en *-e* muet des noms féminins

Le fait d'assimiler aux adjectifs les mots qui se disent après *il est/elle est*, qui finissent par *-e* au féminin, mais expriment le quoi plutôt que le comment, présente un intérêt additionnel : il permettra à l'enfant de repérer et d'accorder à bon escient les quelques noms féminins qui prennent un *-e* muet. En effet, la présente définition s'applique à la plupart d'entre eux. Voyons, à l'aide d'exemples, les raisonnements que fera spontanément l'élève, lors de la révision de son texte, quand il se trouvera en présence de tels mots.

Même après le divorce, on est restés ami(?) : « Il est ami/ elle est am*ie*. « Il est comment? Ami » (ou encore : « Il est quoi? Ami », peu importe). Donc retenu. *Qui est-ce qui est ami?* L'homme et la femme dont il est question, donc *eux*. L'adjectif est placé *après* homme et femme (sous-entendu), donc il s'accorde. C'est *eux* qui sont... : donc *-s* ou *-x*, ici *-s*. Ai-je bien écrit *amis*? »

---

16. Maurice GREVISSE, *op. cit.*, p. 907, n° 1908, remarque 4.

Une inconnu(?) a abordé mon frère : « Il est inconnu/elle est inconnu*e*. « Il est comment? Inconnu » (ou encore : « Il est quoi? Inconnu », peu importe). Donc retenu. *Qui est-ce qui est inconnu?* D'après ce que je suis en train d'écrire, il s'agit d'une femme, donc *elle*. L'adjectif est placé *après* femme (sous-entendu), donc il s'accorde. C'est *elle* qui *est...* : donc *-e*. Ai-je bien écrit *inconnue?* »

Les syndiqué(?) font du piquetage devant l'usine : « Il est syndiqué/elle est syndiqué*e*. « Il est comment? Syndiqué » (ou encore : « Il est quoi? Syndiqué », peu importe). Donc retenu. *Qui est-ce qui est syndiqué?* D'après ce que je suis en train d'écrire, il s'agit des femmes de l'usine où ma mère travaille, donc *elles*. L'adjectif est placé *après* femmes (sous-entendu), donc il s'accorde. C'est *elles* qui *sont...* : donc *-es*. Ai-je bien écrit *syndiquées?* »

L'auteur(?) de ce roman a remporté un prix : « Il est auteur/elle est auteur*e*. La question : Il est comment? ne s'applique pas ici, mais la question : Il est quoi? si. Donc retenu. *Qui est-ce qui est auteur?* D'après ce que je suis en train d'écrire, il s'agit d'une femme, donc *elle*. L'adjectif est placé *après* femme (sous-entendu), donc il s'accorde. C'est *elle* qui *est...* : donc *-e*. Ai-je bien écrit *auteure?* »

L'enfant a si peu d'occasions, dans ses textes, d'accorder des noms en *-e* muet qu'on ne doit pas se surprendre que sa vigilance soit moins grande à cet égard. Le fait cependant que la très grande majorité de ces noms puissent être repérés de la même manière que la plupart des adjectifs devrait aider à prévenir l'omission du *-e* muet.

Pour conclure

L'ensemble des exemples qui précèdent tend à démontrer à la fois la simplicité et la rigueur de l'analyse nouvelle qui est proposée, par rapport à la complexité de l'analyse traditionnelle. Il ne fait pas de doute que, si on l'applique systématiquement dans les classes, cette analyse sera de nature à améliorer les performances de façon remarquable, et cela, dans un laps de temps relativement court. Chose certaine, la situation actuelle est si préoccupante, comme le démontrent les données de recherche dont j'ai fait état dans ce chapitre, qu'une solution de rechange à la grammaire traditionnelle s'impose d'urgence. Il m'apparaît qu'une approche « amicale pour l'usager », du type de celle qui est suggérée dans ce chapitre, est de nature à nous sortir, dans les délais les plus brefs, du pétrin dans lequel nous nous enlisons sans espoir depuis trop longtemps.

En tout état de cause, il serait certainement intéressant de laisser à une telle approche le temps de faire ses preuves, avant de la rejeter du revers de la main. Le problème, j'en suis consciente, est qu'elle risque d'entraîner un bouleversement de l'enseignement grammatical dans toute la francophonie, et non seulement au Québec. L'arrivée massive des appareils de traitement de textes dans les bureaux n'a-t-elle pas, elle aussi, provoqué au départ des bouleversements intenses dans les habitudes de travail ? Pourtant, cette technologie éminemment « amicale pour l'usager » a mis peu de temps à supplanter la machine à écrire traditionnelle, les gains en productivité compensant pour les inconvénients temporaires qu'elle entraînait.

Ce qu'il faut trouver à tout prix, dans l'enseignement de l'orthographe grammaticale, et notamment dans l'enseignement des règles d'accord du participe passé, ce n'est pas le moyen d'accorder *plus* de temps à cet enseignement, mais plutôt de rendre l'apprentissage plus efficace en *moins* de temps. Une amélioration sensible des résultats, certes, mais sûrement pas au détriment des autres matières au programme. Ne l'oublions jamais.

Comme je l'ai souligné précédemment, transformer la façon d'enseigner les règles d'accord n'est pas suffisant. Il faut de surcroît établir au plus tôt une meilleure progression des apprentissages au fil de la scolarité. La proposition de grammaire nouvelle qui suit suggère une répartition possible des objectifs abordés dans ce chapitre, de manière à en assurer un équilibre optimal d'un degré à l'autre, allégeant notamment la tâche en 3ᵉ année, pour l'accroître vers la fin du primaire. Si, à ces diverses conditions, on ajoute en classe une bonne technique de révision de textes pour les élèves – ce qui semble leur faire défaut à l'heure actuelle, puisqu'ils ne réussissent pas à repérer à coup sûr leurs fautes pour les corriger – on disposera de tous les éléments nécessaires pour remédier efficacement aux faiblesses marquées en orthographe d'accord qu'on connaît malheureusement aujourd'hui, notamment au chapitre de l'accord de l'adjectif et du participe passé.

Contenu d'un enseignement grammatical renouvelé

ADJECTIFS ET PARTICIPES PASSÉS

RAPPEL : La mention (T) signifie que la connaissance indiquée devrait idéalement être terminale (c'est-à-dire en principe parfaitement maîtrisée dans un texte personnel, au primaire), à la fin du degré scolaire désigné par le chiffre qui suit ; un objectif idéalement terminal au secondaire est accompagné de la mention (T. sec.). Ces degrés sont suggérés par la nouvelle pédagogie grammaticale proposée. Quant aux mots écrits en majuscules, ils indiquent la terminologie traditionnelle qu'il est pertinent de conserver.

3ᵉ année

Repérage de l'adjectif

L'ADJECTIF est :

- *un* mot qui se dit bien seul au SINGULIER après *il est/elle est*... Exemples :

  - fort : *il est* fort/*elle est* forte

  - couché : *il est* couché/*elle est* couchée

  - fini : *il est* fini/*elle est* finie

  - malade : *il est* malade/*elle est* malade

  - réparé : *il est* réparé/*elle est* réparée ; (T3)

  - donc, l'expression *de paille* dans : *des chapeaux de paille* n'est pas un adjectif, car il s'agit de deux mots ; (T3)

- de même, dans l'expression *des enfants souvent malades*, le mot *souvent* n'est pas un adjectif parce que ça ne se dit pas bien seul *il est souvent/elle est souvent*; (T3)

- dans les expressions : *des pots en plastique*, *les roues arrière*, *ils sont ensemble* et *elles sont quatre*, les mots *plastique*, *arrière*, *ensemble* et *quatre* ne sont pas des adjectifs, car on ne peut pas dire : *il est plastique/elle est plastique*, *il est arrière/elle est arrière*, *il est ensemble/elle est ensemble*, *il est quatre/elle est quatre* (ceci vaut pour tous les chiffres de deux à l'infini); (T3)

- ... et qui exprime le *comment*. Exemples :

  - Il est *fort*. Il est *comment?* Fort.

  - Mes devoirs sont *finis*. Ils sont *comment?* Finis.

  - Des élèves *malades*. Ils sont *comment?* Malades. (T3)

  - Donc, dans les expressions *ils sont partout*, *ils sont loin* ou *ils sont derrière*, les mots *partout*, *loin* et *derrière* ne sont pas des adjectifs, puisque ces mots répondent à la question *où?* et non à la question *comment?* (T4)

Accord de l'adjectif

- Les noms et les adjectifs sont souvent précédés de signaux évidents de pluriel, comme *mes*, *nos*, *des*, *plusieurs*, *cinq*, etc., qui nous indiquent clairement qu'« il y en a plusieurs ».

- Après un tel signal évident de pluriel, on se pose la question *quoi?* Par exemple, dans les expressions : *ses beaux petits chiens* et *ses chiens bruns poilus*, on se demande : *ses... quoi?*

  - Si, dans les mots de la réponse, il y a un adjectif (parfois plusieurs) *avant* le nom, il s'accorde au pluriel. Exemple : *Ses quoi? Ses beaux petits chiens. Beaux* et *petits* sont deux adjectifs qui s'accordent au pluriel. En effet, l'adjectif s'accorde toujours au pluriel quand il y a :

- Un signal de pluriel + un adjectif + un nom; (T3)

- Un signal de pluriel + plusieurs adjectifs + un nom; (T3)

• Si, dans les mots de la réponse, il y a un adjectif (parfois plusieurs) *après* le nom, il s'accorde au pluriel. Exemple : *Ses quoi? Ses chiens bruns poilus. Bruns* et *poilus* sont deux adjectifs qui s'accordent au pluriel. En effet, l'adjectif s'accorde toujours au pluriel quand il y a :

- Un signal de pluriel + un nom + un adjectif; (T3)

- Un signal de pluriel + un nom + plusieurs adjectifs. (T3)

● Quand un adjectif s'accorde au pluriel, on y ajoute habituellement un -*s*, sauf s'il finit déjà par -*s* ou -*x*. (T3)

● Les adjectifs qui finissent au singulier par -*au*, comme *beau* et *nouveau*, prennent un -*x* au pluriel. (T3)

● Si l'adjectif forme un couple -*al*/-*aux*, comme *spécial/spéciaux*, il prend généralement un -*x* au pluriel, comme les noms en -*au*. (T4)

4ᵉ année

Repérage de l'adjectif

● Comme on le sait, l'adjectif est un mot qui se dit bien après *il est/elle est* et qui exprime le comment. Mais il a une autre caractéristique qui aide à le reconnaître : au féminin, il finit toujours par -*e*. Exemples :

- Elle est habile, longue, vive, malade, verte, traduite, peinte, interdite, assise, heureuse, belle, etc. (T4)

- Donc, si certains mots ne peuvent pas finir par -e quand on les dit après : elle est, c'est qu'ils ne sont pas des adjectifs. Par exemple, les mots bien, loin et partout ne sont pas des adjectifs, puisqu'on ne peut pas dire : il est bien/elle est bienne, il est loin/elle est loine, il est partout/elle est partoute (sic)! (T4)

- Il n'y a que quelques très rares exceptions à cette règle, soit les mots : chic, snob et mieux. Ce sont des adjectifs, quand ils se disent après : elle est, bien qu'ils ne finissent pas par -e. Certains adjectifs, employés en abréviation, par exemple super (diminutif de supérieur) et extra (diminutif de extraordinaire) ne prennent pas non plus de -e au féminin : elle est super, elle est extra. (T5)

- Chaque fois qu'un mot se dit bien après il est/elle est et exprime le comment, on peut déduire qu'il finit par -e au féminin, même si on ne prononce pas ce -e. Exemples : Il est réparé /elle est réparée; il est mûr /elle est mûre; il est bleu /elle est bleue; il est fini /elle est finie. (T5)

- Généralement, les adjectifs expriment le comment. Il existe cependant des mots qui s'accordent comme des adjectifs, bien qu'ils n'expriment pas vraiment le comment. Les plus frappants sont : allé, arrivé, entré, monté, parti, resté, revenu, sorti, tombé et venu. Exemple : Les pompiers sont entrés dans l'édifice en flammes. Le raisonnement : Ils sont comment? Entrés s'applique mal. Il est plus juste de dire : Ils sont quoi? Entrés. Voici comment reconnaître facilement ces mots :

  - Dès qu'un mot se dit bien après il est/elle est, finit par -e au féminin, mais n'exprime pas le comment, on se demande s'il exprime plutôt le quoi. Dans l'affirmative, le mot agit comme un adjectif et s'accorde comme ce dernier. Exemple :

  - Mes amis sont allé(?) au parc. Il est allé/elle est allée se dit bien, allé finit par -e au féminin, mais n'exprime pas le *comment.* On a plutôt tendance à se poser la question : *Ils sont quoi? Allés au parc.* Puisque le mot *allé* répond à la question : *quoi?*, il s'accorde comme un simple adjectif : *Mes amis sont allés au parc.* (T5)

- Voici d'autres exemples où l'adjectif répond à la question : *quoi?* plutôt qu'à la question : *comment?*

Ils sont *arrivés* à sept heures. (*Ils sont... quoi?* Arrivés à sept heures.)

Elles sont *montées* nous parler. (*Elles sont... quoi?* Montées nous parler.)

Ils sont *partis* tôt hier soir. (*Ils sont... quoi?* Partis tôt hier soir.)

Ils sont *restés* jusqu'à dix heures. (*Ils sont... quoi?* Restés jusqu'à dix heures.)

Ils sont *revenus* aussitôt. (*Ils sont... quoi?* Revenus aussitôt.)

Elles sont *sorties* ensemble hier. (*Elles sont... quoi?* Sorties ensemble hier.)

Elle est *tombée* et elle s'est fait mal. (*Elle est... quoi?* Tombée.)

Elle est *venue* nous voir. (*Elle est... quoi?* Venue nous voir.) (T5)

Accord de l'adjectif

- On sait déjà que l'adjectif s'accorde toujours au pluriel quand il est placé *entre* un signal de pluriel (comme *des*, *nos*, *plusieurs*, *cinq*, etc.) et un nom. Exemples : *Tes petits frères.* On sait aussi accorder au pluriel l'adjectif placé *après* un nom pluriel et proche de lui. Mais souvent l'adjectif est placé assez loin du nom pluriel. Voici un moyen de bien accorder tous les adjectifs placés *après* un nom pluriel :

• Dès qu'on repère un signal évident de pluriel, on trouve le nom qui lui obéit. Exemple : Tes poissons rouges sont malades. *Tes* quoi? Tes *poissons rouges*. *Poissons* est le nom qui s'accorde. Puis on se demande si, *après* ce nom et l'adjectif *rouges* trouvé en même temps, il y a d'autres mots qui ont du sens si on les ajoute seuls aux expressions suivantes : *c'est eux qui sont...* ou *c'est elles qui sont...* Si oui, ces mots sont des adjectifs. Dans l'exemple cité, on découvre ainsi un adjectif : Tes poissons rouges, *c'est eux qui sont malades*. *Malades* est donc un adjectif qui s'accorde au pluriel. (T5)

• Voici un autre exemple : Les fleurs coupées, vendues chez ce fleuriste, sont très belles. *Les* quoi? Les *fleurs coupées*. Les fleurs coupées, *c'est elles qui sont vendues*, *c'est elles qui sont belles*. *Vendues* et *belles* sont donc des adjectifs qui s'accordent au pluriel. (T5)

● Dès qu'un adjectif complète l'expression : *c'est eux qui sont...*, il finit par -*s* ou par -*x* au pluriel. Dès qu'un adjectif complète l'expression : *c'est elles qui sont...*, il finit par -*es*. (T5)

● Attention! Les principaux adjectifs en -*al* qui font -*als* et non -*aux*, au masculin pluriel, sont : *banal*, *fatal*, *natal* et *naval*. (T6)

● Pour découvrir et accorder certains adjectifs au féminin singulier, il faut procéder différemment :

   • On trouve d'abord tous les mots du texte qui peuvent être des adjectifs, autres que ceux trouvés précédemment, c'est-à-dire ceux qui ne sont pas commandés par un signal évident de pluriel. Exemples :

   Ma mère est *sorti(?)* de bonne heure et elle est *allé(?)* acheter de la viande *haché(?)*. Elle a *trouvé(?)* que c'était une *vrai(?)* aubaine au prix où on l'offrait. Elle a aussi *acheté(?)* de la crème *sur(?)* et quelques bananes. Malheureusement, celles-ci étaient trop *mûr(?)*. (T5)

- Puis on remplace les mots trouvés par *belle(s)*, *intéressante(s)* ou *blanche(s)* (celui des trois mots qui se dit le mieux). Si la substitution est possible, il s'agit d'un adjectif féminin.

Une remarque importante ici : quand on fait la substitution, on doit arrêter tout de suite après le mot substitué, chaque fois que le fait d'enchaîner avec le reste de la phrase aboutit à un non-sens. C'est ainsi que : *ma mère est sortie de bonne heure* donne : *ma mère est intéressante/* et non : *ma mère est intéressante de bonne heure* ! Voici comment appliquer la procédure de substitution à tous les exemples précédents :

Ma mère est *sorti(?)* [intéressante]/ de bonne heure et elle est *allé(?)* [intéressante]/ acheter de la viande *haché(?)* [blanche]. Elle a *trouvé(?)* [aucun des trois mots ne convient, donc ce mot ne s'accorde pas au féminin] que c'était une *vrai(?)* [belle] aubaine au prix où on l'offrait. Elle a aussi *acheté(?)* [aucun des trois mots ne convient, donc ce mot ne s'accorde pas au féminin] de la crème *sur(?)* [blanche] et quelques bananes. Malheureusement, celles-ci étaient trop *mûr(?)* [blanches]. (T5)

- Quand la substitution est possible, c'est que l'adjectif est féminin. Comme il complète l'expression : *c'est elle qui est...* ou *c'est elles qui sont...*, sa finale est toujours *-e* ou *-es*. Exemples : *c'est elle qui est sortie, allée, hachée, vraie* et *sure*; et *c'est elles qui sont mûres*. (T5)

5ᵉ année

Repérage du mot auquel l'adjectif se rapporte

- Un adjectif se rapporte toujours à un nom ou à un pronom. Après avoir repéré un adjectif présumé à partir de la définition de l'adjectif, on se pose la question : *qui est-ce qui est...?* ou *qu'est-ce qui est…?* pour savoir à quel nom ou pronom il se rapporte. Exemples :

- Deux superbe(?) bracelets.
  Qu'est-ce qui est superbe? Les bracelets.

- Elle semblait grippé(?).
  Qui est-ce qui est grippé? Elle.

- Les livres que j'ai acheté(?).
  Qu'est-ce qui est acheté? Les livres.

- Il a acheté(?) deux cassettes.
  Qu'est-ce qui est acheté? Des cassettes.

- Elle s'est cassé(?) les deux jambes.
  Qu'est-ce qui est cassé? Les jambes.

- Elle a expliqué(?) qu'elle ne le savait pas.
  Qu'est-ce qui est expliqué? Tout ça : « qu'elle ne le savait pas ». (L'adjectif se rapporte alors au pronom *ça* qui résume la réponse.)

- « Je viendrai vous voir demain », a-t-il précisé(?).
  Qu'est-ce qui est précisé? Tout ça : « Je viendrai vous voir demain. » (L'adjectif se rapporte alors au pronom *ça* qui résume la réponse.)

- Ils ont obéi(?).
  Qu'est-ce qui est obéi? Rien. La phrase ne le dit pas. Dans ce cas, l'adjectif présumé n'en est pas un et on ne s'en occupe plus. (T5)

Découverte de la règle à appliquer

● Pour savoir si l'adjectif présumé s'accorde, on observe où cet adjectif est situé par rapport au nom ou au pronom auquel il se rapporte. (T5)

RÈGLE Nᵒ 1

- L'adjectif s'accorde toujours quand il est situé *entre* le déterminant et le nom :

Déterminant	+	adjectif	+	nom	
Deux		*superbes*		*chiens*	
Ma		*meilleure*		*note*	
De		*belles*		*fleurs*	(T5)

RÈGLE Nᵒ 2

- L'adjectif présumé s'accorde toujours quand il est situé *après le déterminant et le nom* auquel il se rapporte (sauf dans un cas d'exception à apprendre plus tard) :

Déterminant	+ nom	+	adjectif
Des	*gants*		*bruns*
Mes	*amis*	sont	*gentils.*
Les	*livres*	que j'ai	*achetés...* (T5)

- Variante : L'adjectif présumé s'accorde toujours quand il est situé *après le pronom* auquel il se rapporte (sauf dans un cas d'exception à apprendre plus tard) :

Pronom	+	adjectif
Elle	semblait	*grippée.*
Elle	s'est	*amusée.*
Ceux	que j'ai	*achetés...*
« *Viens voir!* »,	m'a-t-il	*dit.*

(Dans ce dernier cas, *qu'est-ce qui est* dit? C'est : « Viens voir! », c'est-à-dire *tout ça* qui vient avant le mot *dit*.) (T6)

● Attention! La substitution des mots *belle(s)*, *intéressante(s)* ou *blanche(s)* pour trouver les adjectifs féminins règle seulement certains cas. La règle précédente permet, quant à elle, de repérer *tous* les adjectifs féminins placés après le nom ou le pronom auquel ils se rapportent. (T5)

RÈGLE N° 3

● L'adjectif présumé n'agit pas comme adjectif et il ne s'accorde pas quand il est situé *avant le déterminant et le nom* auquel il se rapporte (sauf dans un cas d'exception à apprendre plus tard) :

Adjectif	+	déterminant	+	nom
Il a *acheté*		*deux*		*cassettes.*
Il s'est *foulé*		*la*		*cheville.*

(T6)

● Variante : L'adjectif présumé n'agit pas comme adjectif et il ne s'accorde pas quand il est situé *avant le pronom* auquel il se rapporte (sauf dans un cas d'exception à apprendre plus tard) :

Adjectif	+	pronom
Il a *acheté*		*celles* qu'il voulait.
Il s'est *procuré*		*celle* que tu as déjà.
Il m'a *juré*		*qu'il ne le savait pas.*

(Dans ce dernier cas, *qu'est-ce qui est* juré? « Qu'il ne le savait pas », c'est-à-dire *tout ça* qui vient après le mot *juré*.) (T6)

Accord de l'adjectif

● Si l'adjectif doit s'accorder, voici comment déterminer l'accord à faire. S'il complète l'expression :

• *C'est eux qui sont...*, **la finale est** *-s*, **parfois** *-x*.
   Ils seront récompensé(?).
   C'est *eux* qui sont récompensés. Donc *-s*. (T5)

- ***C'est elle qui est...*, la finale est *-e*.**
  Elle semblait grippé(?).
  C'est *elle* qui est grippée. Donc *-e*. (T5)

- ***C'est elles qui sont...*, la finale est *-es*.**
  Les tomates qu'il a pris(?).
  C'est *elles* qui sont prises? Donc *-es*. (T5)

- ***C'est lui qui est...***
              ou
- ***C'est ça qui est...*, pas de marque d'accord.**

  Il est allé(?) au cinéma.
  C'est *lui* qui est allé. Donc, *pas de marque d'accord* particulière.

  Aller au restaurant est agréable(?).
  Qu'est-ce qui est agréable? C'est *tout ça* : « Aller au restaurant » qui est agréable. Donc, *pas de marque d'accord* particulière.

  « Je vais t'appeler ce soir », m'a-t-il dit(?).
  Qu'est-ce qui est dit? C'est *tout ça* : « Je vais t'appeler ce soir » qui est dit. Donc, *pas de marque d'accord* particulière. (T6)

- Un adjectif s'accorde parfois avec deux (ou plusieurs) noms de GENRES différents. Exemples : *Nicole, Louise et Pierre ont été élu(?)*; *ces couteaux et ces fourchettes ont été lavé(?)*. Il complète alors l'expression : *c'est eux qui sont...* C'est pourquoi, dans les exemples cités, on doit écrire : *élus* et *lavés*. (T6)

- Parmi les pronoms avec lesquels l'adjectif s'accorde, le mot *ceux* signifie *eux*, *celle* signifie *elle* et *celles* signifie *elles*. (T5)

- Quatre mots complètent bien les expressions : *c'est eux qui sont...*, *c'est elles qui sont...*, etc., mais ne sont jamais des adjectifs : *pour*, *contre*, *mal* et *ainsi*. On écrit donc : *ils sont pour*, *elles sont contre*, *ils sont mal* et *elles sont ainsi*. (T5)

6ᵉ année

Accord de l'adjectif

RÈGLE Nᵒ 1

● On sait déjà que l'adjectif s'accorde toujours quand il est placé *entre* le déterminant et le nom. Exemples : *Deux superbes chiens*; *ma meilleure note*; *de belles fleurs*. Mais il s'accorde même si le déterminant est sous-entendu. Exemples :

• *Petits chiens à vendre*. Imaginons que cette expression, affichée dans la vitrine d'une animalerie, signifie : *Des* petits chiens à vendre. Il suffit de rétablir mentalement le déterminant pour pouvoir faire l'accord. Dans cet exemple, l'adjectif *petits* est situé entre le déterminant sous-entendu *des* et le nom *chiens*, donc il s'accorde au pluriel. (T6)

• De la même façon : *Chère grand-maman* signifie : *Ma* chère grand-maman. Il faut faire particulièrement attention au mot *cher* placé au début d'une lettre, sans déterminant : s'agit-il de *mon* cher, *ma* chère, *mes* chers ou *mes* chères? Il faut toujours se demander à qui l'on s'adresse, car l'absence de déterminant est alors trompeuse. (T6)

RÈGLE Nᵒ 2

● On sait déjà que l'adjectif s'accorde toujours quand il est placé *après* le déterminant et le nom ou le pronom auquel il se rapporte (sauf dans un cas à apprendre plus tard). Exemples : *Des gants bruns*; *elle* semblait *grippée*. Mais il s'accorde même si le déterminant et le nom (ou encore le pronom) sont sous-entendus. Exemples :

• *Unis pour la vie*. Imaginons que ce titre signifie : *deux amis unis pour la vie*, d'après le contexte. On rétablit mentalement les mots *deux amis* pour faire l'accord.

- *Mes parents sont sévères. Sévères mais justes.* Pour pouvoir accorder correctement *sévères* et *justes*, dans la deuxième phrase, on rétablit mentalement les mots sous-entendus *ils sont.* (T6)

● Un adjectif s'accorde parfois avec deux (ou plusieurs) pronoms de GENRES différents. Exemples : *C'est lui et elle qui ont été choisis.* Il complète alors l'expression : *c'est eux qui sont...* C'est pourquoi, dans l'exemple cité, on doit écrire : *choisis.* (T6)

● Chaque fois qu'un adjectif s'accorde avec le pronom *nous* ou le pronom *vous*, on doit chercher qui représentent ces pronoms, pour savoir s'ils sont de GENRE MASCULIN ou FÉMININ. Au masculin pluriel, l'adjectif s'accorde comme après l'expression : *c'est eux qui sont...* Au féminin pluriel, il s'accorde comme après l'expression : *c'est elles qui sont...* Quand *vous* est au masculin singulier, l'adjectif s'accorde comme après l'expression : *c'est lui qui est...* Quand *vous* est au féminin singulier, l'adjectif s'accorde comme après l'expression : *c'est elle qui est...* (T6)

● Le mot *seul* est particulier : il s'accorde toujours avec le nom ou le pronom, même s'il est placé avant le déterminant et le nom ou avant le pronom, et s'il a le sens de *seulement.* Exemples : *Seules quelques personnes* sont venues. *Seuls ceux* qui ont fini leur travail pourront y aller. (T6)

Aperçu des cas à traiter au secondaire

Repérage de l'adjectif présumé

● Différence entre certains mots parfois adjectifs (donc VARIABLES), quand ils se rapportent à un nom ou à un pronom, et parfois ADVERBES (donc INVARIABLES), quand ils se rapportent à un verbe. Exemples : Ces élèves *chantent fort.* Ils *courent vite.* Ces fleurs *sentent bon.* Les mots *fort, vite* et *bon* ne se rapportent pas ici aux noms ou pronoms *élèves, ils* et *fleurs,* mais bien aux verbes *chanter, courir* et *sentir* (par exemple, « ce ne sont pas les élèves qui *sont* forts; c'est plutôt qu'ils *chantent* fort »). Ces mots sont donc des adverbes invariables.

● Pour qu'un participe passé s'accorde, le chemin doit être direct du nom (ou pronom) au participe qui s'y rapporte. Exemples :

  • Les langues que j'ai *parlé(?)* en premier dans la vie...

  • Les langues dont je t'ai *parlé(?)* l'autre jour...

Dans le premier cas, on parle *quelque chose,* soit des langues : le chemin est direct de *langues* à *parlé.* Les langues, c'est elles qui sont parlées : donc *parlées.* Dans le deuxième cas, on parle *de* quelque chose. Le chemin n'est pas direct de *langues* à *parlé.* Donc *parlé* n'est pas ici un adjectif. Il reste invariable et on ne s'en occupe plus.

Les mêmes raisonnements s'appliquent aux cas suivants :

  • Ses fautes ont été *pardonné(?).* (En français, on pardonne quelque chose, ici *des fautes.* Le chemin est direct de *fautes* à *pardonné.* On écrit donc : *pardonnées.*)

  • Les gens auxquels j'ai *pardonné(?)...* (En français, on pardonne *à* quelqu'un, ici *à* des gens. Le chemin n'est pas direct de *gens* à *pardonné.* On écrit donc : *pardonné.*)

  • Les amis qu'il a abonné *(?)* à cette revue... (En français, on abonne quelqu'un, ici *des amis.* Le chemin est direct de *amis* à *abonné.* On écrit donc *abonnés.*)

  • Les revues auxquelles il s'est abonné... (En français, on s'abonne *à* quelque chose, ici *à* des revues. Le chemin n'est pas direct de *revues* à *abonné.* On écrit donc *abonné.*)

● Dans le cas du participe passé d'un verbe ESSENTIELLE-MENT PRONOMINAL, on emploie une variante du raisonnement précédent pour savoir si le chemin est direct du nom (ou pronom) au participe qui s'y rapporte. Exemples :

- Elles se sont *souvenu(?)* de nos recommandations. En français, on se souvient *soi-même* de quelque chose. Alors le participe s'accorde : *souvenues*.

- Ces industriels se sont *approprié(?)* ces terrains. En français, on s'approprie *à soi-même* quelque chose. Le chemin n'est pas direct de *industriels* à *approprié*. Donc, le participe ne s'accorde pas : *approprié*.

Accord de l'adjectif

● Deux facteurs conditionnent l'accord ou non de certains adjectifs présumés : le fait qu'ils soient employés avec l'auxiliaire *avoir* ou, encore, qu'ils soient partie d'un verbe pronominal. Ces deux facteurs expliquent les règles d'exception suivantes.

EXCEPTION À LA RÈGLE Nº 2

● On sait déjà que l'adjectif présumé s'accorde toujours quand il est situé *après le déterminant et le nom* (ou *le pronom*) auquel il se rapporte, sauf dans un cas d'exception. Voici cette exception : le participe passé d'un verbe employé avec l'auxiliaire *avoir* ne s'accorde *jamais* avec le sujet de l'action exprimée par ce verbe. Les seuls et uniques cas où la réponse à la question : *qui est-ce qui est...?* ou *qu'est-ce qui est...?* aboutit au sujet d'un verbe employé avec l'auxiliaire *avoir* est celui des verbes qui s'emploient à la fois avec *être* et *avoir*. Exemples :

- *Les pneus ont crevé(?)*; *mes amis ont bronzé(?)*. Dans ces cas, si on écrit : ils *ont* crevé, ils *ont* bronzé, c'est qu'on désire insister sur l'action posée. Si on écrit plutôt : ils *sont* crevés, ils *sont* bronzés, c'est qu'on désire insister sur le résultat de cette action. La règle est nécessaire parce que, dans les deux cas cités, si l'on fait le raisonnement habituel, *les pneus, c'est eux qui sont crevés, mes amis, c'est eux qui sont bronzés*, on aura tendance à écrire *crevés* et *bronzés*, alors qu'ici ces deux mots n'agissent pas comme adjectifs et sont invariables.

EXCEPTION À LA RÈGLE N° 3

● On sait déjà que l'adjectif présumé ne s'accorde jamais quand il est situé *avant* le déterminant et le nom (ou le pronom) auquel il se rapporte, sauf une exception. Voici cette exception : si l'adjectif présumé n'est ni un participe passé employé avec *avoir*, ni partie d'un verbe pronominal, il s'accorde *toujours*, même si la réponse est *après*. Exemples :

* *Fatigués* d'attendre, *mes amis* sont partis.

* *Rendus* là, *ils* s'arrêtèrent.

* Sont *invités* à la fête *tous les parents* d'élèves.

* *Rares* sont *ceux* qui n'ont pas aimé ce film.

Dans ces exemples, les adjectifs présumés : *fatigués*, *rendus*, *invités* et *rares* ne sont ni employés avec l'auxiliaire *avoir*, ni partie d'un verbe pronominal, c'est pourquoi ils prennent une marque d'accord.

● Attention! Les cas suivants ne sont pas des exceptions à la règle n° 3 :

* *S'étant cachés* dans la forêt, *ces soldats* échappèrent à leurs poursuivants.

* *S'étant enfuis*, *ils* échappèrent à leurs poursuivants.

En effet, il s'agit ici de deux verbes pronominaux. Or, un verbe pronominal est un verbe toujours accompagné de deux mots qui désignent le même être, la même réalité (ou les mêmes êtres, les mêmes réalités). Exemples : je me lève : *je* et *me* désignent tous deux *moi*; la peinture s'écaille : *la peinture* et *s'* désignent tous deux *elle*. Ici, dans le premier exemple, *ces soldats* et *s'* désignent les mêmes personnes; de même, dans le deuxième exemple, *ils* et *s'*. Comme l'un des deux mots, soit le *s'*, est situé *avant* l'adjectif *caché*, dans le premier cas, et *avant* l'adjectif *enfui*, dans le second, ces deux adjectifs s'accordent comme chaque fois qu'un adjectif est situé après le pronom auquel il se rapporte. On écrit donc : *cachés* et *enfuis*.

Accords particuliers

- Genre du mot *gens* et accord de l'adjectif.

- Genre masculin de l'expression *quelque chose* et accord de l'adjectif en conséquence.

- Distinction entre adjectif et adverbe pour le mot *possible*.

- Accord du mot *nu*.

- Certains adjectifs ne finissent pas par -*e* au féminin, car on les dit en abréviation. Exemples : une chaîne *audio* ou *stéréo* signifie en réalité une chaîne *audiophonique* ou *stéréophonique* (de la même façon que les expressions : elle est *super*, elle est *extra*, signifient en réalité *supérieure* et *extraordinaire*). Une fois les abréviations supprimées, ces adjectifs finissent bien par -*e*.

- Féminin des adjectifs en -*c* : *public/publique*, *turc/turque (exception : grec* garde le -*c* avant le -*que* : *grecque*).

Phénomène particulier

- Emploi des mots *dont* ou *en*, ou encore *auquel*, *à laquelle*, *auxquels*, *auxquelles*, *y*, etc., placés devant des verbes qui appellent respectivement la préposition *de* ou *à*. Exemples : *Se fier à* : les gens *auxquels* je me suis fié ; je m'*y* suis fié (en parlant de quelque chose). *Dépendre de* : les gens *dont* ils auraient dépendu ; ils *en* auraient dépendu.

5

Ponctuation et syntaxe

PONCTUATION

Objectif à atteindre

On considérera que l'enseignement de la ponctuation a réussi si, à la fin du primaire, l'élève place à bon escient, dans ses textes, les points de phrase déclarative, les points d'interrogation et les points d'exclamation, de même que les deux points et guillemets de dialogue ; s'il place aussi à bon escient la virgule d'énumération, la virgule servant à isoler un groupe de mots en début de phrase et la virgule servant à isoler une apostrophe.

Des résultats alarmants et des moyens pédagogiques qui laissent à désirer

Beaucoup d'enseignants, même de 6e année, se plaignent des piètres résultats des élèves en matière de ponctuation : omissions multiples, points et majuscules placés à mauvais escient, etc. Ce constat est d'ailleurs corroboré par la Direction générale de l'évaluation du ministère de l'Éducation, dans son rapport de 1989 :

Parmi les signes de ponctuation pris en compte dans la correction, c'est le point qui est la source d'erreurs la plus fréquente. Les élèves omettent de mettre un point entre deux idées. Exemples : « Deux jours passèrent (.) les parents étaient très fatigués de ce chat. »; « Le lendemain, il retourna chez lui mais il s'était perdu (.) il ne trouvait pas le chemin (.) il se dit... »

(...) Une analyse détaillée des copies d'élèves a permis de constater que parmi tous les signes de ponctuation, y compris les deux points, les guillemets et la virgule placée après un complément circonstanciel, c'est cette dernière qui crée le plus de difficulté aux élèves, puisqu'ils ont fait, en moyenne, 3,5 fautes de cette nature. Par ailleurs, on a relevé, en moyenne, 3 fautes pour le point, 2 pour les deux points et les guillemets et 1,1 pour la virgule [autre que celle mentionnée plus haut]. Les fautes [autres] portant sur la virgule concernent l'absence de la virgule d'énumération et la présence d'une virgule entre le sujet et le verbe ou entre le verbe et le complément[1].

Le plus souvent, on ne sait trop comment remédier à cette situation. Voici, en tout état de cause, comment se fait généralement l'enseignement de la ponctuation.

On explique d'abord ce qu'est une phrase. Plusieurs définitions circulent à ce propos. Pour certains, une phrase serait « toujours composée d'un sujet, d'un verbe et d'un complément » ou, à tout le moins, « d'un sujet et d'un verbe » : que fait-on alors des phrases sans verbe? Pour d'autres, une phrase serait « constituée d'un groupe de mots » : que fait-on alors du mot « Oui », en réponse à une question, qui constitue pourtant bel et bien une phrase? Pour d'autres encore, une phrase comporterait toujours une seule idée : où ponctuer alors une phrase comme : « Hier, j'ai joué dehors

---

1.   Ministère de l'Éducation du Québec, Direction générale de l'évaluation, *Les Résultats de l'épreuve de français écrit de sixième année du primaire, administrée au mois de mai 1988. Rapport global*, Gouvernement du Québec, janvier 1989, p. 35.

et j'ai regardé la télévision » ? Pour d'autres enfin, la longueur serait un bon indice pour reconnaître la phrase : et les phrases d'un seul mot, alors ? Comme on le voit, trouver une définition juste n'est pas simple.

Deuxième type d'intervention, on fait ponctuer des phrases détachées, donc déjà bien identifiées comme phrases. L'enfant n'a alors aucun repérage à faire, sa tâche consistant simplement à choisir, par exemple, entre un point ou un point d'interrogation à mettre à la fin de la phrase, ce qu'il réussit généralement fort bien.

Enfin, autre exercice très populaire, on demande aux élèves de ponctuer des textes non ponctués. On imagine la difficulté : munis d'une définition de la phrase fausse ou incomplète, insuffisamment initiés à repérer efficacement une phrase, voici que les enfants doivent tout à coup se débrouiller seuls pour ponctuer tout un texte ! Et on se plaint des piètres résultats, comme de la nécessité de toujours redonner les mêmes explications, sans grand succès !

Or, le vrai problème de l'élève, ce n'est pas de se souvenir qu'une phrase « ordinaire » (ou déclarative) commence par une majuscule et finit par un point, ce qui est su depuis la 1re année, ni qu'une question finit par un point d'interrogation, ce qui est su depuis la 2e année. Non, le vrai problème consiste à *reconnaître ce qu'est une phrase*, ce qui fait défaut présentement, comme le prouve cet extrait d'un texte d'élève de fin du primaire :

Je voudrais vous parler d'un ami que j'ai connu en première année il s'appelle Pierre Ouellet

Pierre a 11 ans sa fête est le 28 janvier. Il a les yeux bruns, les cheveux blonds, il porte des lunettes et il est toujours joyeux.

Mais Pierre n'aime pas beaucoup les sports il aime mieux les jeux intellectuels.

Comment venir à bout de ce difficile problème?

Le point : pistes de solution

Pour améliorer l'enseignement sur ce point névralgique, il importe en priorité de centrer les interventions sur le repérage de la phrase, étape trop souvent négligée jusqu'ici. Or, le concept de phrase est d'autant plus abstrait qu'il est absent de la langue orale. La seule façon de reconnaître une phrase est de *se laisser guider par le sens*. D'où la définition de la phrase proposée ici à titre d'hypothèse : *une phrase est un mot ou un groupe de mots qui a du sens quand on le dit seul ; de plus, quand on met un point pour séparer deux groupes de mots, chacun des deux doit avoir du sens quand on le dit seul.*

Prenons les deux exemples suivants :

1. J'arrive de la bibliothèque j'ai emprunté trois livres
2. Hier il faisait beau je suis allé à bicyclette

Dès son entrée à l'école (et même avant), l'enfant a une conscience aiguë de ce qui a du sens et de ce qui n'en a pas : ce n'est donc pas là une habileté à développer chez lui, mais plutôt une force sur laquelle s'appuyer. C'est pourquoi l'élève n'aura aucune difficulté à découvrir où mettre les points dans les phrases citées en exemple, à la condition toutefois de posséder la deuxième partie de la définition de la phrase (malheureusement absente de l'enseignement jusqu'ici), sans laquelle on ne peut ponctuer correctement : *quand on met un point pour séparer deux groupes de mots,* **chacun des deux doit avoir du sens** *quand on le dit seul.*

Muni d'une telle définition, l'élève trouvera facilement que : *J'arrive de la bibliothèque* a du sens quand on le dit seul, de même que : *J'ai emprunté trois livres.* Même chose pour : *Hier il faisait beau* et *Je suis allé à bicyclette.*

Revenons au texte dont j'ai cité un extrait plus haut. Il ne fait pas de doute que l'élève qui l'a écrit se serait aisément rendu compte des nombreuses omissions de points dont souffrait son texte, s'il avait disposé d'une telle définition fonctionnelle de la phrase. En effet, ce qu'il faut, ce n'est pas seulement recommander aux élèves de vérifier s'ils ont mis les points à bon escient : c'est aussi, et surtout, les inciter à relire chaque phrase qu'ils ont composée, en se demandant s'il aurait été possible de placer *un autre point* quelque part à l'intérieur de ce groupe de mots, de manière à former deux phrases ayant chacune un sens complet, avant comme après cet autre point.

En procédant ainsi, l'élève aurait pu repérer aisément, dans son propre texte, les endroits où mettre des points additionnels, indiqués ici par les barres obliques :

Je voudrais vous parler d'un ami que j'ai connu en première année/ il s'appelle Pierre Ouellet/

Pierre a 11 ans/ sa fête est le 28 janvier. Il a les yeux bruns, les cheveux blonds,/ il porte des lunettes et il est toujours joyeux. Mais Pierre n'aime pas beaucoup les sports/ il aime mieux les jeux intellectuels.

En donnant à l'élève comme seul critère : *la phrase consiste en un mot ou un groupe de mots qui a un sens complet,* il pourrait être tenté à tort ici de mettre un point après : *Je voudrais vous parler d'un ami,* puisque ces mots ont un sens

complet. D'où l'importance de la deuxième partie de la définition de la phrase.

Notons que l'interrogation constitue un cas à part qui
appelle un corollaire à cette définition. Imaginons, par
exemple, les phrases suivantes : *Viens-tu à la fête? Oui.* Ces
deux ensembles forment bel et bien deux phrases tout à fait
françaises et il est faux de faire croire aux élèves que la
deuxième n'est pas une véritable phrase, sous prétexte qu'elle
ne possède pas de verbe, par exemple. Tout simplement, dans
le cas d'une question, le sens indique clairement où mettre
le point d'interrogation; quant à la réponse, elle ne doit pas
avoir un sens complet *quand on la dit seule*, mais plutôt *par
rapport à la question posée*.

Des exercices progressifs

Pour aider efficacement les élèves en ponctuation, il faut
imaginer des exercices progressifs, dont certains d'un genre
nouveau. Par exemple, à partir de la 3e année, pour bien ancrer
la notion de phrase, on peut :

1° Présenter aux élèves des phrases et des non-phrases,
le tout non ponctué. Par exemple :

1. j'ai hâte aux vacances
2. je ne sais pas si je vais aller
3. mon père a ramassé
4. hier j'ai mangé au restaurant

L'enfant doit se laisser guider essentiellement par le sens
pour repérer les phrases et les ponctuer (nos 1 et 4), de même
que pour barrer les non-phrases (nos 2 et 3). Ce genre d'exercices prouvera aux enseignants, s'il en est besoin, que les

enfants possèdent déjà intuitivement la notion de « mot ou groupe de mots ayant un sens complet », et cela, préalablement à tout enseignement, sauf peut-être dans le cas de certains élèves en difficulté très grave d'apprentissage.

2° Après explication, proposer des textes avec des points en trop que l'enfant doit repérer. (L'idéal serait alors de choisir les exemples dans des textes que les élèves ont eux-mêmes produits et comportant ce type de difficulté.) Ces points en trop devraient illustrer, par exemple, les trois principaux types d'erreurs que font les enfants de huit ou neuf ans quand ils ponctuent à mauvais escient. 1° Ils mettent un point un peu n'importe où dans le milieu d'une phrase. 2° Ils placent un point avant le mot *et* ou avant le mot *ou*. (Exemple : *J'aime beaucoup lire. Et jouer aux cartes.*) 3° Certains élèves mettent parfois un point en bout de ligne, plutôt qu'en bout de phrase. (Dans ce cas, on devrait toujours les recentrer immédiatement sur le sens.)

3° Enfin, présenter des groupes de mots non ponctués, susceptibles chacun de former deux phrases. L'enfant doit se demander où mettre le point (ou le point d'interrogation) de manière à obtenir *deux groupes de mots qui ont chacun un sens complet*. Exemples :

1. je suis pressée je dois être chez le dentiste dans cinq minutes
2. viens ici pourquoi
3. penses-tu que Julien va venir bien sûr

Notons qu'une telle démarche a pour avantage de centrer dès le départ les élèves sur le sens ; du même coup, elle permet à l'enseignant(e) de dépister immédiatement ceux qui ne font pas efficacement appel au sens et de leur préparer, au besoin, des exercices supplémentaires sur le modèle de ceux proposés ici.

Parallèlement à ces quelques exercices, on ne doit pas rater une occasion, en cours d'année, de faire réviser par les élèves la ponctuation des textes personnels qu'ils écrivent, en faisant toujours rappeler préalablement la définition de la phrase suggérée ici. Ils en viendront bientôt à repérer beaucoup plus facilement leurs erreurs de ponctuation. On peut même penser qu'avec une telle approche les élèves pourraient être en mesure de ponctuer assez bien leurs phrases, dès l'entrée en 5e année, en ce qui concerne les points. Malheureusement, c'est loin d'être le cas présentement, comme on l'a vu plus haut. Il ne leur restera plus, au secondaire, qu'à apprendre à remplacer le point, occasionnellement, par un point-virgule ou un deux points.

La virgule : une hypothèse

En ce qui concerne la virgule d'énumération, l'enseignement donné jusqu'ici est justement fondé sur le sens (c'est-à-dire sur ce qu'est une énumération d'idées semblables) : on constate aussitôt des résultats plus probants. On n'a donc pas à modifier sensiblement l'enseignement sur ce point.

Ce n'est malheureusement pas le cas de la virgule « placée après un complément circonstanciel en tête de phrase ». On n'a pu s'empêcher ici de revenir à la notion grammaticale de complément circonstanciel, détour aussi inutile que sujet à caution pour bien ponctuer, et qui a pour effet de mêler les élèves plus qu'autre chose.

Pourquoi « détour sujet à caution » ? Essentiellement, parce que les groupes de mots en début de phrase après lesquels on doit mettre une virgule sont loin d'être tous des « compléments circonstanciels ». J'en veux pour preuve ces exemples tirés d'écrits divers qui me tombent présentement sous les yeux et que je cite ici en vrac : *Quoi qu'il en soit,... Que ça leur plaise ou non,... Quant à lui,... À voir ce qui arrive,... Tu vois,... Ayant déjà répondu à leur demande,... De grâce,... D'autre part,... Même si le défi est de taille,... À part cette difficulté,... De plus,... Excepté eux,...* Le recours au complément circonstanciel n'est-il pas une explication un peu courte ? Si cette notion est incapable de prendre en compte de nombreux cas où la virgule est nécessaire, ne peut-on penser qu'elle est superflue ?

Notons qu'aucun des scripteurs adultes que j'ai interrogés à ce sujet ne fait appel au concept de complément circonstanciel au moment de placer ce type de virgule, ce qui tendrait à prouver qu'une telle explication laisse à désirer...

Comme pour le concept de phrase, il me semble qu'une explication qui prend appui sur le sens serait plus pertinente ici qu'une explication de type grammatical. Voici celle que je propose à titre d'hypothèse : *on met une virgule après un groupe de mots en début de phrase, pour ménager une légère pause dans le cours de la lecture ; on place cette virgule entre deux groupes de mots dont le premier, quand on le dit hors contexte, n'a pas un sens complet, mais le deuxième, si.* Le premier groupe de mots, avant la virgule, fournit une explication, mais nous laisse en suspens quant au reste ; au contraire, la suite de la phrase a du sens quand on la dit seule, indépendamment du groupe de mots en début de phrase[2].

Imaginons, par exemple, qu'un élève ait écrit les phrases suivantes et se demande où placer des virgules en début de phrase, le cas échéant :

---

2. Je suis consciente qu'une telle explication ne rend pas compte de la virgule des phrases corrélatives du type : *Telle mère, telle fille*; *Plus il mange, plus il a faim.*

1. Après de longues discussions/ ils se sont entendus pour confier cette responsabilité à Sophie.
2. À tous les trois mois/ nous faisons un tirage.
3. Comme mon chien semble malade/ j'ai décidé de l'amener chez le vétérinaire.
4. Qu'ils me laissent tranquilles/ c'est tout ce que je veux.

Les barres obliques indiquent les seuls endroits où il est possible de faire une légère pause en lisant, de manière à séparer la phrase en deux groupes de mots dont le premier, dans chaque cas, n'a pas un sens complet quand on le dit seul, mais le second, si.

On remarquera que le critère suggéré est fonctionnel, à l'instar de toutes les autres définitions mises de l'avant jusqu'ici. Par là même, n'importe quel enfant pourra le comprendre et l'appliquer assez facilement à *tous* les cas de la sorte qui se présentent dans son texte, et non aux seuls « compléments circonstanciels ».

Une fois de plus se confirme l'opinion selon laquelle la notion de complément est inutile en classe de français. Elle ne contribue efficacement, ni à bien orthographier, ni à bien ponctuer, encore moins à bien choisir l'information de son texte (puisqu'on ne décide jamais d'ajouter un complément à son texte, mais bien *une idée qui manque*). La reléguer aux oubliettes au profit d'explications plus adéquates et plus pratiques ne fera pas seulement gagner du temps : cela aboutira à une amélioration notable des résultats des élèves...

Ceci nous amène à aborder maintenant la délicate question du travail sur la syntaxe de la phrase qu'il serait opportun de proposer aux élèves.

SYNTAXE

Enseigner la syntaxe de la phrase : état de la question

Orthographe grammaticale, ponctuation : on commence à y voir un peu plus clair en ces matières. On ne peut malheureusement pas en dire autant en ce qui concerne la syntaxe de l'écrit. Tous se rappellent évidemment l'analyse de la phrase préconisée par la grammaire traditionnelle. On a longtemps prétendu (on le prétend même encore) que le fait de bien connaître la nature des propositions indépendantes, principales, subordonnées, relatives, etc., améliorait la structuration de la phrase à l'écrit. Ce savoir, disparu à toutes fins utiles des classes du primaire, prévaut encore cependant au secondaire. Pour quel profit ?

Parmi les professeurs du secondaire que j'ai pu interroger à ce sujet, certains y voient une façon pour l'élève de repérer à coup sûr tous les verbes conjugués de son texte, pour les bien accorder avec le sujet. Le but en serait donc un d'orthographe grammaticale. On a vu, dans le chapitre consacré aux verbes, qu'il existe des moyens plus efficaces et plus directs d'atteindre cet objectif. Je n'y reviendrai donc pas ici.

D'autres considèrent que ce type d'analyse logique constitue un outil au service d'une pensée plus claire, d'une meilleure structuration de la phrase, les plus sceptiques avouant, quant à eux, n'y voir aucun profit pour l'élève... Qui croire ?

Certains linguistes français n'ont pas manqué de remettre en question l'efficacité de la grammaire traditionnelle en cette matière, arguant du caractère peu scientifique de cette dernière. Genouvrier et Peytard, en particulier, dénoncent « l'anachronisme de notre enseignement grammatical ». Au terme d'une longue critique, ils concluent :

Nous avons limité nos analyses à ce qui nous a paru les failles les plus béantes de la grammaire scolaire; nous aurions pu les développer; nous pouvons aussi les résumer en deux mots : confusion et inefficacité[3].

Dans son *Histoire de la grammaire scolaire*, Chervel n'est pas tendre non plus à l'endroit de l'analyse logique qui prévaut dans les écoles depuis la fin du XIXe siècle environ. Relatant l'apparition de la théorie scolaire des subordonnées, il en dénonce avec force la finalité, sujette à caution, selon lui :

> Face à la subordonnée circonstancielle apparaît [vers 1910] la subordonnée complétive qui correspond, comme une quatrième proportionnelle, au complément direct (et indirect) de l'analyse grammaticale. (…) L'analyse logique est maintenant soumise à l'analyse grammaticale. Son seul rôle est d'exercer l'élève au maniement des questions pertinentes en prévision des accords du participe! (…)
>
> C'est l'analyse grammaticale qui fait la loi désormais. L'analyse « logique », qui n'en est qu'une excroissance peu élégante, une prothèse boiteuse, a été invitée à ramasser dans ses filets tout ce qui pouvait répondre à la question *quoi?*, et à ériger la liste de ses découvertes au rang de classe grammaticale. Elle ne pouvait déboucher que sur des cotes mal taillées et des querelles byzantines[4].

En supposant juste la thèse de Chervel, les bases de l'analyse logique traditionnelle ne risquent-elles pas d'être plus ébranlées que jamais, puisqu'il est désormais possible de se passer de la notion de complément direct dans l'accord des participes passés? Quoi qu'il en soit du but présumément orthographique de plusieurs concepts de l'analyse logique, les anglophones, qui ne connaissent pourtant pas nos pro-

---

3.   É. GENOUVRIER et J. PEYTARD, *Linguistique et enseignement du français*, Paris, Larousse, 1970, p. 80 et 86.
4.   André CHERVEL, *op. cit.*, p. 219 et 225.

blèmes d'orthographe grammaticale, étudiaient encore fréquemment, ici et là, dans leurs écoles, au cours des années 60, certains concepts relevant de la grammaire traditionnelle, notamment les types de propositions (indépendantes, principales, subordonnées, ces dernières moins alambiquées que les nôtres, mais quand même...), en vue de promouvoir la correction syntaxique de l'écrit.

Or, plusieurs chercheurs américains, parmi lesquels Hunt (1965, 1966), O'Donnell *et al.* (1967), Loban (1976)[5], ont tenté d'élaborer, au cours des années 1960 notamment, des critères de maturité syntaxique de l'écrit et, parallèlement à ces travaux, d'autres chercheurs ont tenté d'évaluer quelle approche semblait produire les meilleurs résultats, en un minimum de temps, en matière de travail sur la syntaxe de la phrase. Ainsi, à l'aide de recherches expérimentales le plus souvent fort rigoureuses, Braddock *et al.* (1963), Christensen (1967), Mellon (1969) et O'Hare (1973)[5] ont analysé si l'enseignement formel de la grammaire, traditionnelle, transformationnelle ou autre, avait quelque effet bénéfique sur la structuration de la phrase et, dans le cas contraire, quelle autre solution devrait être proposée.

La conclusion suivante, tirée de la recherche de Braddock, Lloyd-Jones et Schoer, que je traduis librement ici, donne à réfléchir :

Si l'on considère l'accord général qui se dégage de plusieurs études impliquant des types variés d'élèves et d'enseignants, voici quelle conclusion on peut tirer : l'enseignement formel de la grammaire n'a qu'un effet négligeable sur l'amélioration de l'écrit ; et comme il se substitue habituellement à la pro-

---

5. On trouve la référence complète de chacune de ces recherches dans la bibliographie à la fin de cet ouvrage.

duction de textes véritables et au travail sur ces textes, on peut même dire qu'il a un effet nuisible[6].

De ces diverses recherches, il ressort que le meilleur moyen d'améliorer la qualité de l'écrit consiste à partir d'un problème concret de formulation qu'éprouvent les élèves et à leur fournir les outils syntaxiques pour le surmonter, sans recourir cependant aux connaissances formelles sur la langue. Prenons, par exemple, des élèves de 4ᵉ année du primaire : tous les enseignants savent qu'ils ont tendance à utiliser à outrance, à neuf ans, la coordination par *et*. Il suffit de leur faire prendre conscience qu'un texte qui comporte ainsi trop de *et* est ennuyeux à lire et qu'il existe des moyens efficaces pour corriger ce défaut.

Par exemple, on peut parfois supprimer le *et* et le sujet qui suit, et les remplacer par une virgule ; on obtient de cette façon une phrase plus habile. Ainsi : « Il est entré dans le magasin et il a demandé au vendeur s'il avait des biscuits et il a pris le paquet et il est sorti » devient : « Il est entré dans le magasin, a demandé au vendeur s'il avait des biscuits, a pris le paquet et est sorti ». Autre moyen possible : utiliser un mot lien plus habile entre les idées, et ajouter alors une virgule à l'endroit nécessaire. Exemple : « J'étais fatiguée et je suis allée me coucher » peut devenir : « Comme j'étais fatiguée, je... » ou « Parce que j'étais fatiguée, je... ».

Aux élèves plus âgés, vers la fin du secondaire, on suggérera une formule plus concise, propre à l'écrit, qu'emploient généralement les seuls scripteurs les plus habiles, à savoir l'adjectif antéposé, dont il a été longuement question au chapitre précédent : « Étant fatiguée, je... » ou plus simplement : « Fatiguée, je... ».

---

6. R. BRADDOCK, R. LLOYD-JONES et L. SCHOER, *Research in Written Composition*, Champaign, Ill., National Council of Teachers of English, 1963, p. 37-38.

Comme on le voit, pour solutionner un problème précis de formulation, un scripteur dispose chaque fois de divers moyens linguistiques concurrents, par exemple, dans le cas cité, un mot lien plus habile, un signe de ponctuation approprié, la suppression de mots redondants, etc. ; mais il est essentiel que ces moyens soient présentés tous en même temps, en réponse à un besoin réel du scripteur quant à la formulation de son texte. C'est à cette condition seulement que des exercices systématiques sont efficaces. C'est du moins ce qui se dégage d'une étude menée par Mellon auprès de 250 sujets de 1re secondaire.

Ce chercheur a soumis le groupe expérimental à des exercices de même type que ceux que nous avons cités plus haut et appelés, dans les recherches américaines, exercices de transformations par combinaisons de phrases (« *sentence-combining transformations* »), tandis qu'un deuxième groupe faisait des exercices de grammaire traditionnelle, assortis du métalangage habituel : propositions indépendantes, coordonnées, subordonnées, etc. ; un troisième groupe se contentait de composer des textes, sans enseignement grammatical aucun. De l'avis de plusieurs, cette recherche était très bien menée sur le plan méthodologique (ce qui n'étonne guère de la part d'un chercheur de l'université Harvard). Je traduis librement ici la double conclusion, fort importante, à laquelle parvient Mellon :

Premièrement, le progrès produit [en termes d'aisance syntaxique à l'écrit] grâce à des exercices systématiques de combinaison de phrases représente un gain significatif par rapport au développement normal obtenu, soit à l'aide d'un enseignement grammatical traditionnel, soit sans enseignement grammatical d'aucune sorte. Deuxièmement, la grammaire traditionnelle constitue en réalité une sorte de traitement *placebo*, en ce sens que les effets qu'elle produit ne diffèrent pas significativement de ceux qu'on observe dans un environnement sans enseignement grammatical aucun[7].

Une réplique de cette recherche, menée elle aussi en 1re secondaire par O'Hare[8], en 1973, aboutit à des résultats analogues; mais ce chercheur conclut, de plus, qu'associée à une pratique signifiante de l'écrit, ce type de pédagogie produit réellement chez les élèves des textes de meilleure qualité, et cela sans recours à un métalangage grammatical, mais uniquement en observant des modèles des types de transformations de phrases à opérer.

Chez nous, ce type de recherche n'a vraiment débuté qu'avec les années 1980. Les données issues de ces études sont malheureusement encore très fragmentaires. Les recherches les plus prometteuses nous viennent d'un courant fonctionnel. Certains objectifs d'écriture, adoptés récemment dans le milieu scolaire, s'inscrivent dans cet esprit, par exemple *utiliser habilement pronoms et déterminants dans un texte, de manière qu'il n'y ait pas d'équivoque.* Un tel objectif découle directement d'études effectuées, entre autres, par Michel Pagé et son groupe de chercheurs de l'université de Montréal, portant sur l'usage judicieux des référents à l'écrit. L'avantage de tels objectifs, c'est qu'ils poursuivent des buts réels d'expression et conduisent par là à un savoir-faire qui sera utile au scripteur toute sa vie durant.

Qu'elles portent sur la maturation de l'écrit, sur les habiletés discursives ou encore sur le travail syntaxique fonctionnel à proposer en classe, de telles recherches n'ont malheureu-

---

7. J. MELLON, *Transformational Sentence-Combining. A Method for Enhancing the Development of Syntactic Fluency in English Composition*, Harvard University, Project 5-8418, Cooperative Research Bureau, U.S. Office of Education, p. 93. Cette recherche a été publiée en 1969, sous le même titre, par le National Council of Teachers of English.
8.   F. O'HARE, *Sentence-Combining. Improving Student Writing without Formal Grammar Instruction*, Urbana, Ill., National Council of Teachers of English, 1973.

sement pris leur véritable essor qu'à la faveur d'une pédagogie de la communication. Même si elles progressent, il est trop tôt encore pour les traduire en un ensemble cohérent d'objectifs pédagogiques. Ce qu'on sait avec assez de certitude cependant, c'est plutôt *ce qu'il convient de ne pas faire*, c'est-à-dire revenir à l'enseignement systématique des concepts de l'analyse logique traditionnelle. Adopter cette voie, ce serait très sûrement courir à l'échec, en démotivant les élèves et en leur faisant perdre, malheureusement, un temps de classe précieux.

Durant les années 70, il nous a fallu créer de toutes pièces une pédagogie de la communication qui a débouché au tournant des années 80 sur les programmes de français du primaire et du secondaire. La décennie des années 80 a vu naître progressivement une pédagogie fonctionnelle de l'orthographe d'usage qui, introduite prochainement dans les classes, devrait transformer cet enseignement en profondeur, au cours des années 90; parallèlement, il a fallu repenser entièrement l'enseignement de l'orthographe grammaticale, pour le débarrasser des concepts inutiles qui l'encombrent depuis trop longtemps. Le présent ouvrage s'inscrit dans cet effort qui devrait porter fruit, lui aussi, durant la décennie qui commence.

N'en doutons plus : les années 90 seront celles de la recherche des meilleurs moyens de promouvoir la maturation syntaxique de l'écrit chez les élèves. Il n'y a aucune honte à nous avouer franchement que nous en sommes là. Qu'on le veuille ou non, il nous faudra plusieurs années de recherche pour voir poindre un ensemble cohérent de solutions adéquates en ce domaine.

Pour l'heure, il convient surtout de garder le cap, à savoir une pédagogie fonctionnelle de la langue, qui ne saurait s'accommoder de pratiques, comme l'analyse logique traditionnelle, dont on sait maintenant, grâce aux travaux français autant qu'aux recherches américaines, qu'elles font perdre un temps de classe précieux, sans profit réel pour l'élève. Dans ce domaine de la syntaxe, comme dans tous les autres aspects de la classe de français, seule une synthèse créatrice nous aidera à sortir de l'impasse actuelle.

En attendant, on devrait laisser tout l'espace voulu à l'innovation et garder comme priorité de faire produire régulièrement en classe des textes personnels signifiants. Plus les élèves tenteront d'exprimer des idées complexes sur des sujets qui leur tiennent à cœur, plus ils s'efforceront de s'approprier les moyens syntaxiques et discursifs nécessaires pour parvenir efficacement à leurs fins.

Cette brève incursion dans le domaine de l'enseignement de la syntaxe de l'écrit a surtout permis de mettre en évidence les limites de la recherche à cet égard. Conscients des problèmes qui se posent, nous ne sommes pas encore en mesure de proposer la synthèse nécessaire qui pourrait donner naissance à un programme cohérent, assorti d'objectifs fonctionnels précis. Pour cette raison, dans la partie qui suit, je m'en tiendrai uniquement à la proposition d'une progression possible, au fil de la scolarité au primaire, des objectifs en ponctuation.

Contenu d'un enseignement renouvelé de la ponctuation

PONCTUATION

RAPPEL : La mention (T) signifie que la connaissance indiquée devrait idéalement être terminale (c'est-à-dire en principe parfaitement maîtrisée dans un texte personnel, au primaire), à la fin du degré scolaire désigné par le chiffre qui suit ; un objectif idéalement terminal au secondaire est accompagné de la mention (T. sec.). Ces degrés sont suggérés par la nouvelle pédagogie grammaticale proposée. Quant aux mots écrits en majuscules, ils indiquent la terminologie traditionnelle qu'il est pertinent de conserver.

3e année

Repérage de la phrase

- Une PHRASE est composée d'un ou de plusieurs mots qui se disent bien tout seuls. C'est-à-dire que, lorsqu'on dit ce ou ces mots tout seuls, on obtient quelque chose qui a du sens dans le contexte, et non une « folie », une expression « qui ne tient pas debout ». Ainsi, *je peux te* n'est pas une phrase, mais *je peux te téléphoner*, si. (T3)

- Quand on met un point pour séparer deux phrases, on doit s'assurer que chacune d'elles a du sens quand on la dit seule, donc que ni l'une, ni l'autre ne constitue une « folie », une expression « qui ne tient pas debout » seule. Autrement, ce n'est pas une phrase et on ne devrait pas mettre de point à cet endroit. Par exemple, dans l'expression *C'est lui que je préfère*, on ne doit pas mettre un point après *C'est lui*, même si cela a du sens car, les mots qui suivent : *que je préfère*, ne se disent pas bien tout seuls. C'est donc toujours le sens qui nous guide pour savoir où mettre un point pour séparer deux phrases. (T4)

Signes de ponctuation

- On met toujours une MAJUSCULE au premier mot et un POINT après le dernier mot du texte. (T1)

- Chaque phrase d'un texte commence toujours par une majuscule et finit par un point. (T2)

- Quand une phrase sert à poser une question, on la termine par un POINT D'INTERROGATION. (T3)

4ᵉ année

Le point d'exclamation

- À la fin d'une phrase qui exprime la surprise, la joie, la peur, la colère, etc., on met un POINT D'EXCLAMATION. (T4)

- Trois cas se présentent ici : 1° Parfois, on est sûr que la phrase ne comporte aucune exclamation : on met un point ordinaire à la fin. 2° Parfois, on est sûr que la phrase comporte une exclamation : on met alors un point d'exclamation à la fin. 3° Parfois enfin, cela dépend en quel sens on comprend la phrase. Certains peuvent y voir une exclamation, alors que d'autres n'en voient pas. On met ou non un point d'exclamation en conséquence : c'est au choix. (T4)

La virgule d'énumération

- On sépare les divers mots d'une énumération par une VIRGULE, mais on ne met jamais de virgule alors avant les mots *et* et *ou*. (T4)

5ᵉ année

Deux points et guillemets de dialogue

- Dans un texte, pour indiquer que quelqu'un parle, on met des GUILLEMETS au début et à la fin des paroles rapportées. S'il y a un introducteur au dialogue pour signifier qui parle, on met DEUX POINTS avant d'ouvrir les guillemets. Exemple : *Elle m'a répondu : « Je n'irai pas. »* (T5)

Points de suspension

- On met des POINTS DE SUSPENSION pour indiquer qu'on laisse une idée en suspens. Exemple : Je lui ai laissé mon numéro de téléphone. *On ne sait jamais...* (T. sec.)

Virgule après un groupe de mots en début de phrase

- On met une virgule après un groupe de mots en début de phrase pour indiquer au lecteur de faire une légère pause, afin de mieux comprendre la phrase. On place cette virgule entre deux groupes de mots dont le premier n'a pas un sens complet, mais le deuxième, si. Exemple : *L'été dernier,* j'ai fait du camping. *D'après moi,* il ne viendra pas. *De plus,* je crois que c'est bon pour la santé. (T6)

- Après un début de phrase d'un seul mot, la virgule est facultative. Exemple : *Demain* j'irai te voir ou *Demain,* j'irai te voir. (T5)

6e année

La virgule pour isoler un mot ou un groupe de mots

- On met une virgule pour isoler le ou les mots employés pour apostropher une personne. Exemples : *Fido*, viens ici! Dis donc, *ma chère Louise*, irais-tu m'acheter un pain s'il te plaît? (T6)

- On met des virgules pour isoler une incise indiquant qui parle. Exemple : « J'aimerais, *répondit-il*, faire un voyage avec toi. » (T. sec.)

- On met une virgule avant et après un groupe de mots mis en apposition pour fournir une explication. Exemple : Paris, *la capitale de la France*, est une ville que j'aimerais visiter. (T. sec.)

- Dans tous ces cas, si on retire les mots isolés par la ou les virgules, la phrase a quand même un sens complet. (T. sec.)

Conclusion

L'amélioration des performances en orthographe grammaticale est non seulement souhaitable, mais elle est réalisable, pour peu qu'on ait la volonté pédagogique d'apporter les changements qui s'imposent. La grammaire traditionnelle a fait long feu : non seulement la description qu'elle propose du fonctionnement de l'orthographe d'accord française ne tient-elle pas compte adéquatement des besoins de l'usager, mais encore, trop souvent, les raisonnements qu'elle préconise ne résistent pas à l'analyse. Ce n'est donc pas sans raison qu'elle s'attire depuis longtemps de si vives critiques de la part des linguistes.

Des analyses peu rigoureuses et des connaissances qui ne servent à rien, voilà sûrement de quoi rebuter les jeunes d'aujourd'hui. Avides de logique, ils se caractérisent justement par leur goût de ce qui est efficace et signifiant. D'où le succès auprès d'eux de la pédagogie de la communication mise de l'avant depuis maintenant plus d'une décennie. Ce qu'il nous faut aujourd'hui, c'est ajuster notre pédagogie de l'orthographe grammaticale à l'esprit du reste de la classe de français. Il en va de la cohérence même de notre enseignement; sans compter que c'est là le meilleur gage de performances accrues en ce domaine.

On ne doit pas se le cacher : les résultats des élèves sont inquiétants et, à moins d'apporter des correctifs vigoureux et imaginatifs, ils continueront à l'être. La proposition présentée dans ces pages constitue une solution de rechange à la grammaire traditionnelle, visant à assurer la maîtrise de tous les principaux cas d'accord et de ponctuation *dès la fin du primaire*. Une manière nouvelle d'enseigner les règles devrait en accélérer l'apprentissage de façon notable.

En conséquence, le cours primaire pourrait désormais couvrir davantage d'objectifs qu'il ne le fait présentement, à condition toutefois que ces derniers soient mieux répartis au fil de la scolarité. En effet, le programme de 1979 n'a pas fixé d'objectifs terminaux suffisamment nombreux à chaque degré scolaire, de manière qu'on sache exactement sur quels apprentissages antérieurs solides, bien définis, on peut compter à chaque niveau. Ses objectifs sont conçus de manière récurrente : les divers cas sont presque tous enseignés une première fois en 3e année, puis répétés inlassablement dans les degrés subséquents, pour être enfin maîtrisés, en principe, pour la plupart, en 6e année. Avec les résultats que l'on sait...

Cela m'amène à relater une expérience, peu banale mais révélatrice, qu'il m'a été donné de vivre récemment. Invitée à aborder la question d'une pédagogie renouvelée de l'orthographe grammaticale devant un groupe d'enseignants de la 3e année du primaire à la 4e secondaire (!), j'ai eu l'idée de leur demander de répondre par écrit à certaines questions sur leur enseignement, et notamment aux deux suivantes : Quelles sont les fautes les plus fréquentes relevées dans les textes de vos élèves ? et : Selon vous, quel est le plus grave problème que pose l'enseignement grammatical actuel ?

Lisant les copies, je me suis amusée à ne pas regarder le degré scolaire enseigné par chacun, croyant pouvoir le deviner facilement, d'après leurs réponses. Erreur ! Je n'ai pu déceler aucune différence notable ni entre les fautes recensées par les uns et les autres, ni entre les principaux problèmes identifiés, ces derniers se résumant d'ailleurs pratiquement à un seul : les élèves connaissent les règles, mais ne réussissent pas à voir leurs fautes dans leurs propres textes, pour les corriger ! Quant aux fautes, même litanie quel que soit le degré enseigné : l'accord des verbes, l'accord des adjectifs et des participes et, assez souvent, l'accord des noms. Bref, tous les cas enseignés!

Dans toute autre matière au programme, imaginerait-on les mêmes difficultés revenir avec autant de constance, les mêmes objectifs d'apprentissage poursuivis durant un laps de temps aussi long (de la 3e année du primaire à la fin du secondaire), pour un profit aussi limité? Il faut s'interroger sérieusement quant à l'option du programme de 1979 d'enseigner déjà presque tous les cas d'orthographe grammaticale, dès la 3e année du primaire, quitte à y revenir inlassablement par la suite, comptant sur le temps pour venir à bout des incompréhensions. Il ne faut pas sous-estimer présentement le découragement de nombreux enseignants de 3e année du primaire devant l'ampleur d'une tâche dont ils ne voient jamais la fin.

Aurait-on idée, d'ailleurs, d'enseigner le calcul différentiel et intégral au début du primaire, en se disant qu'à force d'en retravailler les concepts jusqu'à la fin du C.E.G.E.P., les élèves vont bien finir par les maîtriser? Pourquoi en irait-il différemment en orthographe grammaticale? Enseigner prématurément certaines notions a très sûrement un effet pernicieux : à l'ennui d'entendre répéter sans cesse les mêmes explications d'année en année, s'ajoute chez les élèves l'impression, fausse mais non moins réelle, de « déjà savoir tout ça ». Et pour les enseignants, n'est-il pas plus stimulant d'enseigner des notions nouvelles que d'avoir à ressasser sans cesse les mêmes règles? Sans bien savoir d'ailleurs jusqu'où l'enseignant(e) de la classe précédente en a poussé la maîtrise, puisque à peu près rien n'est terminal présentement avant la 6e année.

Pour contrer cette faiblesse du programme actuel, et dans l'esprit de l'approche grammaticale proposée dans cet ouvrage, je me permets en terminant une suggestion de progression nouvelle pour le primaire, de nature à mieux équilibrer les objectifs d'un degré à l'autre. Comme on l'a vu, en matière d'orthographe grammaticale, il n'y a, somme toute, que trois champs de connaissances à enseigner : le verbe (et quelques pronoms), le nom (et quelques déterminants), l'adjectif (et le participe passé). En considérant la difficulté relative de chacun pour l'enfant, on devrait attribuer, à chacun des degrés de la 3e à la 6e année du primaire, une prérogative à l'endroit de l'un ou l'autre de ces blocs de connaissances. Je m'explique.

Les cas les plus faciles sont certes ceux qui présentent les déclencheurs les plus évidents pour l'enfant. Par exemple, le nom pluriel est le plus souvent précédé d'un « signal évident de pluriel » indiquant d'en faire l'accord. Tous les noms pluriels ne sont pas précédés d'un tel signal, mais la plupart d'entre eux, si. Comme ces signaux sont faciles à repérer et à encercler par l'élève dans son texte, si on mettait l'accent primordialement sur cet aspect de l'apprentissage en 3e année du primaire, on pourrait déclarer ce degré scolaire : *l'année du nom*.

Tous les enseignants de 4e année sauraient que l'élève qu'ils reçoivent, de quelque classe ou de quelque école qu'il provienne, *ne commet à peu près plus d'erreurs sur les noms précédés d'un signal évident de pluriel*. Parallèlement au nom, on pourrait décider qu'en matière de verbes, par exemple, les élèves de 3e année maîtrisent également, parfaitement bien, à la fin de l'année, les finales -*ai* et -*ais* avec *je*, de même que -*a* et -*ait* avec *il/elle/on*, très fréquentes à l'écrit, les autres connaissances au programme étant en voie d'acquisition, mais non maîtrisées. Toutefois, concentrer ses efforts a un prix : il faudra cesser d'enseigner prématurément certaines notions, notamment l'accord du verbe avec un groupe nominal sujet, l'adjectif en position d'attribut et toutes les finales en -*e* muet.

Ainsi, à la fin de l'année, l'élève ne saura pas écrire *jolie*, ni *bleue*; il écrira sans faute : *mes souliers*, mais non *ils sont bruns*; ou encore : *il écrivait*, mais non : *mon frère écrivait*.

Qu'on se console : la 4e année pourrait être *l'année du verbe*. Que ce dernier ait pour sujet un pronom personnel ou un groupe nominal, à la fin de l'année, plus d'hésitation : toutes les finales (sauf peut-être les finales d'exception, comme *je mets* ou *il éteint*), toutes les finales, dis-je, devraient être parfaitement maîtrisées en situation d'écriture. Pas en 6e année, pas en 3e secondaire, mais bien en 4e année du primaire! Pour y parvenir, chaque fois que l'élève rédige un texte, on devrait lui demander, d'une part, d'encercler les déclencheurs que sont les pronoms personnels, d'autre part, de mettre entre parenthèses, aux endroits appropriés de son texte, les signaux : *il(s)* ou *elle(s)*, *qu'il(s)* ou *qu'elle(s)*, qui lui indiquent la présence d'un verbe conjugué ayant un groupe nominal pour sujet.

De plus, toujours en 4e année, devraient eux aussi être parfaitement maîtrisés, non seulement les noms, mais encore les adjectifs pluriels proches d'un signal évident de pluriel, dans des structures du type : *les petits chiens*, *les poissons rouges*. Là encore, dans les textes qu'ils écrivent, les élèves devraient encercler chaque fois, au moment où ils se corrigent, ces signaux évidents de faire l'accord du nom et/ou de l'adjectif que sont les mots *des*, *nos*, *plusieurs*, *quatre*, etc. L'élève commencera à faire l'accord des attributs, bien que cette connaissance ne soit pas maîtrisée à la fin de l'année.

Le prix à payer? L'accord de l'attribut avec un pronom; ce dernier sera maîtrisé de façon simple et rapide en 5e année, dès que l'élève disposera des trois règles de base d'accord des adjectifs. Les conditions de réussite de ce programme ambitieux? Ne plus enseigner les temps ni les modes, seulement les finales de verbes; débarrasser l'enseignement grammatical de toutes les règles de formation du féminin qui l'encombrent inutilement, au profit d'un travail plus intensif sur les finales de verbes; commencer à enseigner le -*e* muet du nom et de l'adjectif, sans entretenir d'exigences intempestives à cet égard : comme on l'a vu, il s'agit là du cas le plus problématique de tout l'enseignement grammatical, comme en font foi les résultats des élèves, et il sera réglé facilement par la suite, si l'on accepte toutefois de temporiser jusqu'en 5ᵉ année.

On s'en doute : la 5ᵉ année sera *l'année de l'adjectif*. Grâce à l'initiation aux trois règles de base, de même qu'à un conditionnement intensif à repérer tout adjectif présumé dans ses propres textes, l'élève devrait être en mesure, à la fin de l'année, de bien orthographier près de 98% de tous les adjectifs et participes qu'il emploie, même dans des structures complexes comme : *les fleurs que j'ai achetées* et *mes amis se sont perdus*, incluant tous les cas d'attributs, ceux-là mêmes qui entraînent à l'heure actuelle un taux d'échecs de 48%! L'accord de l'adjectif avec les pronoms *nous* et *vous* posera peut-être encore certains problèmes, étant donné que, dans ce cas, le référent est moins évident, mais dans l'ensemble, les élèves devraient pouvoir atteindre des taux de réussite inconnus jusqu'alors.

Le prix à payer? L'élève ne saura pas accorder correctement l'adjectif antéposé (*rendus là, ils...*, *rares sont ceux...*), dont on a vu qu'il s'agit d'une structure à peine employée au primaire; non plus que : *elle a changé*, auquel il ajoutera sans doute un -*e*; en revanche, il orthographiera sans mal : *la feuille que j'ai prise* et *ils se sont rejoints*, cas beaucoup plus fréquents à l'écrit, mais actuellement repoussés au secondaire! Par ailleurs, il ne saura pas encore reconnaître les temps ni les modes des verbes, tout en employant cependant toutes les finales à bon escient...

La 6ᵉ année sera d'ailleurs là pour corriger cette lacune : ce sera *l'année des temps et des modes de verbes*. Tout en initiant les élèves à la conjugaison, on leur facilitera la maîtrise de certaines particularités du radical (le *-e* de *ils joueront* ou le *-d* de *tu perds*, par exemple), pas encore enseignées jusque-là. De plus, ce sera une fois encore *l'année du nom*, mais du nom précédé cette fois d'un signal caché de singulier et de pluriel, comme dans *un coffre à outils*, *une salle de bains*, *du jus d'orange*, etc. Amorcé en 5ᵉ année, cet apprentissage sera consolidé systématiquement en 6ᵉ année, en même temps que l'accord de certains déterminants comme *aux*, *d'autres*, *quelques*, *tous les*, etc.

Pas de prix à payer cette fois, mais plutôt des dividendes à récolter ! Grâce à la concertation des efforts, grâce à une progression réaliste où le but à atteindre à chaque niveau est connu de tous, plus rien ne devrait empêcher qu'à la fin du primaire *tous les principaux cas d'accord soient parfaitement maîtrisés par la grande majorité des élèves*. Imaginez un peu la surprise et le soulagement des professeurs du secondaire de recevoir enfin des élèves ne faisant à peu près plus de fautes sur les finales de verbes, les finales de noms et même les finales d'adjectifs et de participes passés, déjà maîtrisées à 98 % !

Allégé de tous les objectifs de base, le cours secondaire pourrait alors se concentrer sur les seules règles d'exception, permettant ainsi de compléter le panorama des règles de l'orthographe grammaticale française, à l'exception de celles, bien sûr, qui relèvent d'un travail d'experts, de professionnels de l'écriture.

J'ai tenté de démontrer, dans cet ouvrage, que l'orthographe grammaticale française est moins ardue à maîtriser que nous ne l'a fait croire jusque-là un enseignement inadapté, qui s'est plu à multiplier les difficultés sans raison valable pour le scripteur et à enseigner mille notions déjà bien intégrées par les élèves. La suggestion de réforme proposée dans ces pages se voudrait une contribution utile à l'amélioration sensible des performances des élèves.

Tout comme des milliers d'utilisateurs d'ordinateur personnel sont vite devenus compétents grâce à une approche « amicale pour l'usager », il me plaît de croire qu'en s'inspirant de la présente proposition, conçue dans un esprit analogue, on obtiendra en quelques années un taux de réussite sans égal. Serais-je trop optimiste en fixant ce pourcentage de réussite à 80% et plus sur les règles de base, dans les textes personnels écrits par les élèves, si l'on excepte cependant les textes d'élèves en difficulté grave d'apprentissage ?

Chose certaine, je souhaite que ces cours de rattrapage, imposés aujourd'hui à trop d'étudiants des niveaux supérieurs, soient bientôt chose du passé, sauf pour des cas tout à fait exceptionnels (étudiants allophones arrivés récemment au Québec, retard dû à la maladie, etc.). Car ces cours ne font que mettre en relief l'échec de la grammaire traditionnelle à produire des scripteurs compétents, en ce qui concerne l'orthographe d'accord.

J'aimerais résumer, en terminant, les principales caractéristiques de la pédagogie nouvelle de l'orthographe grammaticale proposée dans ces pages. Axée tout entière sur les besoins de l'usager, elle se distingue par :

1º Une progression beaucoup plus rigoureuse des apprentissages, désormais mieux échelonnés de la 3e à la 6e année ;

2º Une analyse grammaticale renouvelée, de manière à bien mettre en relief les divers déclencheurs qui incitent à faire l'accord ;

3º Une terminologie vulgarisée, chaque fois que cela est possible, s'ajoutant à la terminologie traditionnelle, quand (et seulement quand) cette dernière est nécessaire ;

4º Pour chaque cas à enseigner, l'abandon de plusieurs concepts de la grammaire traditionnelle, inutiles, soit parce qu'ils sont déjà connus et maîtrisés par les enfants, soit parce qu'ils ne procèdent pas d'une logique rigoureuse ou, encore, qu'ils n'ont aucun impact sur la réussite orthographique ;

5º Grâce au temps de classe ainsi récupéré, l'ajout de plusieurs cas de base au primaire, de manière à ne réserver au secondaire que quelques rares cas d'exception.

À ces paramètres devra s'en ajouter un autre, d'ordre méthodologique, essentiel à la réussite de l'entreprise, à savoir :

6º Une démarche pédagogique qui favorise résolument le réinvestissement des connaissances en situation d'écriture, basée, entre autres, sur une approche efficace de révision de textes.

En tant que Nord-Américains, nous avons souvent fait la preuve que nous ne craignions pas le changement. Cette fois, l'enjeu est de taille : enrayer la plaie endémique des mauvais résultats en orthographe grammaticale, qui pénalisent des générations de scripteurs. Démocratiser l'enseignement de l'orthographe, n'est-ce pas le rendre accessible au plus grand nombre ? Il ne se passe guère une journée sans qu'on entende clamer que nous entrons présentement dans l'ère de l'information. Jamais les citoyens n'ont-ils autant lu et, par voie de conséquence, jamais n'ont-ils autant écrit ; de plus en plus de métiers exigent de l'écrit. Il est donc essentiel que tous puissent le plus tôt possible s'approprier cet outil indispensable de la vie moderne.

Or, l'orthographe ne constitue qu'un aspect, et sûrement pas le plus important, de l'acte d'écrire. Comme je l'ai déjà signalé, les anglophones, hispanophones, italophones et autres, n'ont pas à enseigner l'orthographe grammaticale dans leurs écoles, toutes les finales à inscrire étant dans leur langue marquées à l'oral. Accepterons-nous d'engloutir, dans cette matière de surcroît qu'est pour nous l'orthographe grammaticale, un temps que d'autres emploient plus utilement à ouvrir l'esprit des jeunes aux réalités du monde contemporain ?

Si nous voulons égaler les autres nations développées en éducation, le temps consacré à l'enseignement de l'orthographe grammaticale dans nos écoles ne doit pas augmenter : au contraire, il doit s'amenuiser, des tâches autrement importantes requérant nos énergies. Il serait dommage que les francophones soient pénalisés par cet aspect incontournable de leur langue ; la solution pour sortir de l'impasse, c'est d'augmenter la productivité, comme on dit de nos jours. J'ai tenté d'esquisser dans ces pages une voie pédagogique pour y parvenir, sans rien renier toutefois des règles d'accord actuelles, mon but n'étant pas de réformer l'orthographe grammaticale française, mais simplement de la mieux enseigner. Cependant, à l'instar de la réforme de l'orthographe de notre langue qui s'amorce aujourd'hui, il serait souhaitable qu'un tel changement pédagogique soit une œuvre commune, à tout le moins au Québec.

Sommes-nous prêts à relever le défi ?

Références

BRADDOCK, R., R. LLOYD-JONES et L. SCHOER, *Research in Written Composition*, Champaign, Ill., National Council of Teachers of English, 1963.

CATACH, N. *et al.*, « L'appel des linguistes », publié dans le journal *Le Monde*, le 7 février 1989, reproduit dans PIVOT, B., *Le Livre de l'orthographe – amours, délices... réformes*, Paris, Hatier, 1989.

CHARTRAND, S. et M.-C. PARET, « Enseignement de la grammaire : quels objectifs? quelles démarches? », *Bulletin de l'ACLA* (Association canadienne de linguistique appliquée), printemps 1989, vol. 11, n° 1, p. 31-38.

CHERVEL, A., *... et il fallut apprendre à écrire à tous les petits Français – Histoire de la grammaire scolaire*, Paris, Payot, 1977. (Ce livre a été réédité en 1981 dans la collection « La petite bibliothèque Payot », sous le titre *Histoire de la grammaire scolaire*.)

CHRISTENSEN, F., *Notes Toward a New Rhetoric*, New York, Harper and Row, 1967.

GENOUVRIER, É. et J. PEYTARD, *Linguistique et enseignement du français*, Paris, Larousse, 1970.

GREVISSE, M., *Le Bon Usage*, 11ᵉ édition, Duculot/Éditions du Renouveau pédagogique, 1980.

HUNT, K. W., *Grammatical Structures Written at Three Grade Levels*, Champaign, Ill., National Council of Teachers of English, 1965.

HUNT, K. W., *Sentences Structures Used by Superior Students in Grade Four and Twelve and by Superior Adults*, Florida State University, Tallahassee, Florida, 1966.

LOBAN, W. D., *Language Development : Kindergarten through Grade Twelve*, Urbana, Ill., National Council of Teachers of English, 1976.

MELLON, J., *Transformational Sentence-Combining. A Method for Enhancing the Development of Syntactic Fluency in English Composition*, Urbana, Ill., National Council of Teachers of English, 1969.

MINISTÈRE DE L'ÉDUCATION DU QUÉBEC, *BIZZzz et Noiraud. Une sélection des meilleurs textes des élèves de sixième et troisième années*, Gouvernement du Québec, 1988.

MINISTÈRE DE L'ÉDUCATION DU QUÉBEC, Direction générale de l'évaluation, *Les Résultats de l'épreuve de français écrit de sixième année du primaire, administrée au mois de mai 1988. Rapport global*, Gouvernement du Québec, janvier 1989.

O'DONNELL, R., W. GRIFFIN et R. NORRIS, *Syntax of Kindergarten and Elementary School Children : A Transformational Analysis*, Champaign, Ill., National Council of Teachers of English, 1967.

O'HARE, F., *Sentence-Combining. Improving Student Writing without Formal Grammar Instruction*, Urbana, Ill., National Council of Teachers of English, 1973.

RYAN, C., *Consultation-mobilisation sur la qualité du français*, communiqué de presse, Ministère de l'Éducation du Québec, 26 novembre 1987.

VALIQUETTE, J., « L'accord du participe passé », *Québec français*, automne 1989, n° 75, p. 28-29.

VALIQUETTE, J., « Réviser son texte à l'aide d'une grammaire nouvelle de l'adjectif », cahier pratique n° 33, *Québec français*, automne 1989, n° 75, p. 43-58.

VALIQUETTE, J., « Transformer l'enseignement grammatical : faire mieux en moins de temps », *Québec français*, automne 1989, n° 75, p. 26-27.

WITTWER, J., *Les Fonctions grammaticales chez l'enfant – Sujet, Objet, Attribut*, Neuchâtel, Delachaux et Niestlé, 1959.

Table des matières

Chapitre 5 : Ponctuation et syntaxe

Ponctuation